Prosper Mérimée

La Vénus d'Ille

suivi de

Vision de Charles XI
Il viccolo di Madama Lucrezia
La perle de Tolède
Federigo

Texte intégral

LA VÉNUS D'ILLE

Je descendais le dernier coteau du Canigou, et, bien que le soleil fût déjà couché, je distinguais dans la plaine les maisons de la petite ville d'Ille, vers laquelle je me dirigeais.

« Vous savez, dis-je au Catalan qui me servait de guide depuis la veille, vous savez sans doute où demeure M. de Peyrehorade ?

– Si je le sais ! s'écria-t-il, je connais sa maison comme la mienne ; et s'il ne faisait pas si noir, je vous la montrerais. C'est la plus belle d'Ille. Il a de l'argent, oui, M. de Peyrehorade ; et il marie son fils à plus riche que lui encore.

– Et ce mariage se fera-t-il bientôt ? lui demandai-je.

– Bientôt ! il se peut déjà que les violons soient commandés pour la noce. Ce soir, peut-être, demain, après-demain, que sais-je ! C'est à Puygarrig que ça se fera ; car c'est Mlle de Puygarrig que monsieur le fils épouse. Ce sera beau, oui ! »

J'étais recommandé à M. de Peyrehorade par mon ami M. de P. C'était, m'avait-il dit, un antiquaire fort instruit et d'une complaisance à toute épreuve. Il se ferait un plaisir de me montrer toutes les ruines à dix lieues à la ronde. Or, je comptais sur lui pour visiter les environs d'Ille, que je savais riches en monuments antiques et du Moyen Age.

Ce mariage, dont on me parlait alors pour la première fois, dérangeait tous mes plans.

Je vais être un trouble-fête, me dis-je. Mais j'étais attendu ; annoncé par M. de P., il fallait bien me présenter.

« Gageons, monsieur, me dit mon guide, comme nous étions déjà dans la plaine, gageons un cigare que je devine ce que vous allez faire chez M. de Peyrehorade ?

– Mais, répondis-je en lui tendant un cigare, cela n'est pas bien difficile à deviner. A l'heure qu'il est, quand on a fait six lieues dans le Canigou, la grande affaire, c'est de souper.

– Oui, mais demain ?... Tenez, je parierais que vous venez à Ille pour voir l'idole ? j'ai deviné cela à vous voir tirer en portrait les saints de Serrabona.

– L'idole ! quelle idole ? » Ce mot avait excité ma curiosité.

« Comment ! on ne vous a pas conté, à Perpignan, comment M. de Peyrehorade avait trouvé une idole en terre ?

– Vous voulez dire une statue en terre cuite, en argile ?

– Non pas. Oui, bien en cuivre, et il y en a de quoi faire des gros sous. Elle vous pèse autant qu'une cloche d'église. C'est bien avant dans la terre, au pied d'un olivier, que nous l'avons eue.

– Vous étiez donc présent à la découverte ?

– Oui, monsieur. M. de Peyrehorade nous dit, il y a quinze jours, à Jean Coll et à moi, de déraciner un vieil olivier qui était gelé de l'année dernière, car elle a été bien mauvaise, comme vous savez. Voilà donc qu'en travaillant, Jean Coll, qui y allait de tout cœur, il donne un coup de pioche, et j'entends bimm... comme s'il avait tapé sur une cloche. Qu'est-ce que c'est ? que je dis. Nous piochons toujours, nous piochons, et voilà qu'il paraît une main noire, qui semblait la main d'un mort qui sortait de terre. Moi, la peur me prend. Je m'en vais à monsieur, et je lui dis : "Des morts, notre maître, qui sont sous l'olivier ! Faut appeler le curé. – Quels morts ?" qu'il me dit. Il vient, et il n'a pas plus tôt vu la main qu'il s'écrie : "Un antique ! un antique !" Vous auriez cru qu'il avait trouvé un trésor. Et le voilà, avec la pioche, avec les mains, qu'il se démène et qui faisait quasiment autant d'ouvrage que nous deux.

– Et enfin que trouvâtes-vous ?

– Une grande femme noire plus qu'à moitié nue, révérence parler, monsieur, toute en cuivre, et M. de Peyrehorade nous a dit que c'était une idole du temps des païens... du temps de Charlemagne, quoi !

– Je vois ce que c'est... Quelque bonne Vierge en bronze d'un couvent détruit.

– Une bonne Vierge ! ah bien oui !... Je l'aurais bien reconnue, si ç'avait été une bonne Vierge. C'est une idole, vous dis-je : on le voit bien à son air. Elle vous fixe avec ses grands yeux blancs... On dirait qu'elle vous dévisage. On baisse les yeux, oui, en la regardant.

– Des yeux blancs ? Sans doute ils sont incrustés dans le bronze. Ce sera peut-être quelque statue romaine.

– Romaine ! c'est cela. M. de Peyrehorade dit que c'est une Romaine. Ah ! je vois bien que vous êtes un savant comme lui.

– Est-elle entière, bien conservée ?

– Oh ! monsieur, il ne lui manque rien. C'est encore plus beau et mieux fini que le buste de Louis-Philippe, qui est à la mairie, en plâtre peint. Mais avec tout cela, la figure de cette idole ne me revient pas. Elle a l'air méchante... et elle l'est aussi.

– Méchante ! Quelle méchanceté vous a-t-elle faite ?

– Pas à moi précisément ; mais vous allez voir. Nous nous étions mis à quatre pour la dresser debout, et M. de Peyrehorade, qui lui aussi tirait à la corde, bien qu'il n'ait guère plus de force qu'un poulet, le digne homme ! Avec bien de la peine nous la mettons droite. J'amassais un tuileau pour la caler, quand, patatras ! la voilà qui tombe à la renverse tout d'une masse. Je dis : Gare dessous ! Pas assez vite pourtant, car Jean Coll n'a pas eu le temps de tirer sa jambe...

– Et il a été blessé ?

– Cassée net comme un échalas, sa pauvre jambe ! Pécaïre ! quand j'ai vu cela, moi, j'étais furieux. Je voulais défoncer l'idole à coups de pioche, mais M. de Peyrehorade m'a retenu. Il a donné de l'argent à Jean Coll, qui tout de même est encore au lit depuis quinze jours que cela lui est arrivé, et le médecin dit qu'il ne marchera jamais de cette jambe-là comme de l'autre. C'est dommage, lui qui était notre meilleur coureur et, après monsieur le fils, le plus malin joueur de paume. C'est que M. Alphonse de Peyrehorade en a été triste, car c'est Coll qui faisait sa partie. Voilà qui était beau à voir comme ils se renvoyaient les balles. Paf ! paf ! Jamais elles ne touchaient terre. »

Devisant de la sorte, nous entrâmes à Ille, et je me trouvai bientôt en présence de M. de Peyrehorade. C'était un petit vieillard vert encore et dispos, poudré, le nez rouge, l'air jovial et goguenard. Avant d'avoir ouvert la lettre de M. de P., il m'avait installé devant une table bien servie, et m'avait présenté à sa femme et à son fils comme un archéologue illustre, qui devait tirer le Roussillon de l'oubli où le laissait l'indifférence des savants.

Tout en mangeant de bon appétit, car rien ne dispose mieux que l'air vif des montagnes, j'examinai mes hôtes. J'ai dit un mot de M. de Peyrehorade ; je dois ajouter que c'était la vivacité même. Il parlait, mangeait, se levait, courait à sa bibliothèque, m'apportait des livres, me montrait des estampes, me versait à boire ; il n'était jamais deux minutes en repos. Sa femme, un peu trop grasse, comme la plupart des Catalanes lorsqu'elles ont passé quarante ans, me parut une provinciale renforcée, uniquement occupée des soins du ménage. Bien que le souper fût suffisant pour six personnes au moins, elle courut à la cuisine, fit tuer des pigeons, frire des miliasses, ouvrit je ne sais combien de pots de confitures. En un instant la table fut encombrée de plats et de bouteilles, et je serais certainement mort d'indigestion si j'avais goûté seulement à tout ce qu'on m'offrait. Cependant, à chaque plat que je refusais, c'étaient de nouvelles excuses. On craignait que je ne me trouvasse bien mal à Ille. Dans la province on a si peu de ressources, et les Parisiens sont si difficiles !

Au milieu des allées et venues de ses parents, M. Alphonse de Peyrehorade ne bougeait pas plus qu'un Terme. C'était un grand jeune homme de vingt-six ans, d'une physionomie belle et régulière, mais manquant d'expression. Sa taille et ses formes athlétiques justifiaient bien la réputation d'infatigable joueur de paume qu'on lui faisait dans le pays. Il était ce soir-là habillé avec élégance, exactement d'après la gravure du dernier numéro du *Journal des Modes*. Mais il me semblait gêné dans ses vêtements ; il était raide comme un piquet dans son col de velours, et ne se tournait que tout d'une pièce. Ses mains grosses et hâlées, ses ongles courts contrastaient singulièrement avec son costume. C'étaient des mains de laboureur sortant des manches d'un dandy. D'ailleurs, bien qu'il me considérât de la tête aux pieds fort curieusement, en ma qualité de Parisien, il ne m'adressa qu'une seule fois la parole dans toute la soirée, ce fut pour me demander où j'avais acheté la chaîne de ma montre.

« Ah çà ! mon cher hôte, me dit M. de Peyrehorade, le souper tirant à sa fin, vous m'appartenez, vous êtes chez moi. Je ne vous lâche plus, sinon quand vous aurez vu tout ce que nous avons de curieux dans nos montagnes. Il faut que vous appreniez à connaître notre Roussillon, et que vous lui rendiez justice. Vous ne vous doutez pas de tout ce que nous allons vous montrer. Monuments phéniciens, celtiques, romains, arabes, byzantins, vous verrez tout, depuis le cèdre jusqu'à l'hysope. Je vous mènerai partout et ne vous ferai pas grâce d'une brique. »

Un accès de toux l'obligea de s'arrêter. J'en profitai pour lui dire que je serais désolé de le déranger dans une circonstance aussi intéressante pour sa famille. S'il voulait bien me donner ses excellents conseils sur les excursions que j'aurais à faire, je pourrais, sans qu'il prît la peine de m'accompagner...

« Ah ! vous voulez parler du mariage de ce garçon-là, s'écria-t-il en m'interrompant. Bagatelle, ce sera fait après-demain. Vous ferez la noce avec nous, en famille, car la future est en deuil d'une tante dont elle hérite. Ainsi point de fête, point de bal... C'est dommage... vous auriez vu danser nos Catalanes... Elles sont jolies, et peut-être l'envie vous aurait-elle pris d'imiter mon Alphonse. Un mariage, dit-on, en amène d'autres... Samedi, les jeunes gens mariés, je suis libre, et nous nous mettons en course. Je vous demande pardon de vous donner l'ennui d'une noce de province. Pour un Parisien blasé sur les fêtes... et une noce sans bal encore ! Pourtant, vous verrez une mariée... une mariée... vous m'en direz des nouvelles... Mais vous êtes un homme grave et vous ne regardez plus les femmes. J'ai mieux que cela à vous montrer. Je vous ferai voir quelque chose !... Je vous réserve une fière surprise pour demain.

– Mon Dieu ! lui dis-je, il est difficile d'avoir un trésor dans sa maison sans que le public en soit instruit. Je crois deviner la surprise que vous me préparez. Mais si c'est de votre statue qu'il s'agit, la description que mon guide m'en a faite n'a servi qu'à exciter ma curiosité et à me disposer à l'admiration.

– Ah ! il vous a parlé de l'idole, car c'est ainsi qu'ils appellent ma belle Vénus Tur... mais je ne veux rien vous dire. Demain, au grand jour, vous la verrez, et vous me direz si j'ai raison de la croire un chef-d'œuvre. Parbleu ! vous ne pouviez arriver plus à propos ! Il y a des inscriptions que moi, pauvre ignorant, j'explique à ma manière... mais un savant de Paris !... Vous vous moquerez peut-être de mon interprétation... car j'ai fait un mémoire... moi qui vous parle... vieil antiquaire de province, je me suis lancé... Je veux faire gémir la presse... Si vous vouliez bien me lire et me corriger, je pourrais espérer... Par exemple, je suis bien curieux de savoir comment vous traduirez cette inscription sur le socle : *CAVE*... Mais je ne veux rien vous demander encore ! A demain, à demain ! Pas un mot sur la Vénus aujourd'hui.

– Tu as raison, Peyrehorade, dit sa femme, de laisser là ton idole. Tu devrais voir que tu empêches monsieur de manger. Va, monsieur a vu à Paris de bien plus belles statues que la tienne. Aux Tuileries, il y en a des douzaines, et en bronze aussi.

– Voilà bien l'ignorance, la sainte ignorance de la province ! interrompit M. de Peyrehorade. Comparer un antique admirable aux plates figures de Coustou !

Comme avec irrévérence
Parle des dieux ma ménagère [1] !

« Savez-vous que ma femme voulait que je fondisse ma statue pour en faire une cloche à notre église ? C'est qu'elle en eût été la marraine. Un chef-d'œuvre de Myron, monsieur !

– Chef-d'œuvre ! chef-d'œuvre ! un beau chef-d'œuvre qu'elle a fait ! casser la jambe d'un homme !

– Ma femme, vois-tu ? dit M. de Peyrehorade d'un ton résolu, et tendant vers elle sa jambe droite dans un bas de

1. « Comme avec irrévérence/Parle des dieux ce maraud » (Molière, *Amphitryon*, I, II).

soie chinée, si ma Vénus m'avait cassé cette jambe-là, je ne la regretterais pas.

– Bon Dieu ! Peyrehorade, comment peux-tu dire cela ! Heureusement que l'homme va mieux... Et encore je ne peux pas prendre sur moi de regarder la statue qui fait des malheurs comme celui-là. Pauvre Jean Coll !

– Blessé par Vénus, monsieur, dit M. de Peyrehorade riant d'un gros rire, blessé par Vénus, le maraud se plaint :

Veneris nec præmia nôris[1].

« Qui n'a pas été blessé par Vénus ? »

M. Alphonse, qui comprenait le français mieux que le latin, cligna de l'œil d'un air d'intelligence, et me regarda comme pour me demander : « Et vous, Parisien, comprenez-vous ? »

Le souper finit. Il y avait une heure que je ne mangeais plus. J'étais fatigué, et je ne pouvais parvenir à cacher les fréquents bâillements qui m'échappaient. Mme de Peyrehorade s'en aperçut la première, et remarqua qu'il était temps d'aller dormir. Alors commencèrent de nouvelles excuses sur le mauvais gîte que j'allais avoir. Je ne serais pas comme à Paris. En province on est si mal ! Il fallait de l'indulgence pour les Roussillonnais. J'avais beau protester qu'après une course dans les montagnes, une botte de paille me serait un coucher délicieux, on me priait toujours de pardonner à de pauvres campagnards s'ils ne me traitaient pas aussi bien qu'ils l'eussent désiré. Je montai enfin à la chambre qui m'était destinée, accompagné de M. de Peyrehorade. L'escalier, dont les marches supérieures étaient en bois, aboutissait au milieu d'un corridor, sur lequel donnaient plusieurs chambres.

« A droite, me dit mon hôte, c'est l'appartement que je destine à la future Mme Alphonse. Votre chambre est au

1. « Tu ne connaîtras pas les présents de Vénus » (*Enéide*, IV, 33).

bout du corridor opposé. Vous sentez bien, ajouta-t-il d'un air qu'il voulait rendre fin, vous sentez bien qu'il faut isoler de nouveaux mariés. Vous êtes à un bout de la maison, eux à l'autre. »

Nous entrâmes dans une chambre bien meublée, où le premier objet sur lequel je portai la vue fut un lit long de sept pieds, large de six, et si haut qu'il fallait un escabeau pour s'y guinder. Mon hôte m'ayant indiqué la position de la sonnette, et s'étant assuré par lui-même que le sucrier était plein, les flacons d'eau de Cologne dûment placés sur la toilette, après m'avoir demandé plusieurs fois si rien ne me manquait, me souhaita une bonne nuit et me laissa seul.

Les fenêtres étaient fermées. Avant de me déshabiller, j'en ouvris une pour respirer l'air frais de la nuit, délicieux après un long souper. En face était le Canigou, d'un aspect admirable en tout temps, mais qui me parut ce soir-là la plus belle montagne du monde, éclairé qu'il était par une lune resplendissante. Je demeurai quelques minutes à contempler sa silhouette merveilleuse, et j'allais fermer ma fenêtre, lorsque, baissant les yeux, j'aperçus la statue sur un piédestal à une vingtaine de toises de la maison. Elle était placée à l'angle d'une haie vive qui séparait un petit jardin d'un vaste carré parfaitement uni, qui, je l'appris plus tard, était le jeu de paume de la ville. Ce terrain, propriété de M. de Peyrehorade, avait été cédé par lui à la commune, sur les pressantes sollicitations de son fils.

A la distance où j'étais, il m'était difficile de distinguer l'attitude de la statue ; je ne pouvais juger que de sa hauteur, qui me parut de six pieds environ. En ce moment, deux polissons de la ville passaient sur le jeu de paume, assez près de la haie, sifflant le joli air du Roussillon : *Montagnes régalades*. Ils s'arrêtèrent pour regarder la statue ; un d'eux l'apostropha même à haute voix. Il parlait catalan ; mais j'étais dans le Roussillon depuis assez longtemps pour pouvoir comprendre à peu près ce qu'il disait :

« Te voilà donc, coquine ! (Le terme catalan était plus énergique.) Te voilà, disait-il. C'est donc toi qui as cassé la jambe à Jean Coll ! Si tu étais à moi, je te casserais le cou.

– Bah ! avec quoi ? dit l'autre. Elle est de cuivre, et si dure qu'Etienne a cassé sa lime dessus, essayant de l'entamer. C'est du cuivre du temps des païens ; c'est plus dur que je ne sais quoi.

– Si j'avais mon ciseau à froid (il paraît que c'était un apprenti serrurier), je lui ferais bientôt sauter ses grands yeux blancs, comme je tirerais une amande de sa coquille. Il y a pour plus de cent sous d'argent. »

Ils firent quelques pas en s'éloignant.

« Il faut que je souhaite le bonsoir à l'idole », dit le plus grand des apprentis, s'arrêtant tout à coup.

Il se baissa, et probablement ramassa une pierre. Je le vis déployer le bras, lancer quelque chose, et aussitôt un coup sonore retentit sur le bronze. Au même instant l'apprenti porta la main à sa tête en poussant un cri de douleur.

« Elle me l'a rejetée ! » s'écria-t-il.

Et mes deux polissons prirent la fuite à toutes jambes. Il était évident que la pierre avait rebondi sur le métal, et avait puni ce drôle de l'outrage qu'il faisait à la déesse.

Je fermai la fenêtre en riant de bon cœur.

« Encore un Vandale puni par Vénus. Puissent tous les destructeurs de nos vieux monuments avoir ainsi la tête cassée ! »

Sur ce souhait charitable, je m'endormis.

Il était grand jour quand je me réveillai. Auprès de mon lit étaient, d'un côté, M. de Peyrehorade, en robe de chambre ; de l'autre un domestique envoyé par sa femme une tasse de chocolat à la main.

« Allons, debout, Parisien ! Voilà bien mes paresseux de la capitale ! disait mon hôte pendant que je m'habillais à la hâte. Il est huit heures, et encore au lit ! je suis levé, moi, depuis six heures. Voilà trois fois que je monte, je me suis approché de votre porte sur la pointe du pied : personne, nul signe de vie. Cela vous fera mal de trop dormir à votre âge. Et ma Vénus que vous n'avez pas encore vue. Allons, prenez-moi vite cette tasse de chocolat de Barcelone... Vraie contrebande. Du chocolat comme on n'en a pas à Paris. Prenez des forces, car, lorsque vous serez devant ma Vénus, on ne pourra plus vous en arracher. »

En cinq minutes je fus prêt, c'est-à-dire à moitié rasé, mal boutonné, et brûlé par le chocolat que j'avalai bouillant. Je descendis dans le jardin, et me trouvai devant une admirable statue.

C'était bien une Vénus, et d'une merveilleuse beauté. Elle avait le haut du corps nu, comme les anciens représentaient d'ordinaire les grandes divinités ; la main droite, levée à la hauteur du sein, était tournée, la paume en dedans, le pouce et les deux premiers doigts étendus, les deux autres légèrement ployés. L'autre main, rapprochée de la hanche, soutenait la draperie qui couvrait la partie inférieure du corps. L'attitude de cette statue rappelait celle du Joueur de mourre qu'on désigne, je ne sais trop pourquoi, sous le nom de Germanicus. Peut-être avait-on voulu représenter la déesse au jeu de mourre.

Quoi qu'il en soit, il est impossible de voir quelque chose de plus parfait que le corps de cette Vénus ; rien de plus suave, de plus voluptueux que ses contours ; rien de plus élégant et de plus noble que sa draperie. Je m'attendais à quelque ouvrage du Bas-Empire ; je voyais un chef-d'œuvre du meilleur temps de la statuaire. Ce qui me frappait surtout, c'était l'exquise vérité des formes, en sorte qu'on aurait pu les croire moulées sur nature, si la nature produisait d'aussi parfaits modèles.

La chevelure, relevée sur le front, paraissait avoir été dorée autrefois. La tête, petite comme celle de presque toutes les statues grecques, était légèrement inclinée en avant. Quant à la figure, jamais je ne parviendrai à exprimer son caractère étrange, et dont le type ne se rapprochait de celui d'aucune statue antique dont il me souvienne. Ce n'était point cette beauté calme et sévère des sculpteurs grecs, qui, par système, donnaient à tous les traits une majestueuse immobilité. Ici, au contraire, j'observais avec surprise l'intention marquée de l'artiste de rendre la malice arrivant jusqu'à la méchanceté. Tous les traits étaient contractés légèrement : les yeux un peu obliques, la bouche relevée des coins, les narines quelque peu gonflées. Dédain, ironie, cruauté, se lisaient sur ce visage d'une incroyable beauté cependant. En vérité, plus on regardait cette admirable statue, et plus on éprouvait le sentiment pénible qu'une si merveilleuse beauté pût s'allier à l'absence de toute sensibilité.

« Si le modèle a jamais existé, dis-je à M. de Peyrehorade, et je doute que le Ciel ait jamais produit une telle femme, que je plains ses amants ! Elle a dû se complaire à les faire mourir de désespoir. Il y a dans son expression quelque chose de féroce, et pourtant je n'ai jamais vu rien de si beau.

– C'est Vénus tout entière à sa proie attachée ! »

s'écria M. de Peyrehorade, satisfait de mon enthousiasme.

Cette expression d'ironie infernale était augmentée peut-être par le contraste de ses yeux incrustés d'argent et très brillants avec la patine d'un vert noirâtre que le temps avait donnée à toute la statue. Ces yeux brillants produisaient une certaine illusion qui rappelait la réalité, la vie. Je me souvins de ce que m'avait dit mon guide, qu'elle faisait baisser les yeux à ceux qui la regardaient. Cela était presque vrai, et je ne pus me défendre d'un mouvement de colère contre moi-même en me sentant un peu mal à mon aise devant cette figure de bronze.

« Maintenant que vous avez tout admiré en détail, mon cher collègue en antiquaillerie, dit mon hôte, ouvrons, s'il vous plaît, une conférence scientifique. Que dites-vous de cette inscription, à laquelle vous n'avez point pris garde encore ? »

Il me montrait le socle de la statue, et j'y lus ces mots :

CAVE AMANTEM

« *Quid dicis, doctissime ?* me demanda-t-il en se frottant les mains. Voyons si nous nous rencontrerons sur le sens de ce *cave amantem* !

– Mais, répondis-je, il y a deux sens. On peut traduire : "Prends garde à celui qui t'aime, défie-toi des amants." Mais, dans ce sens, je ne sais si *cave amantem* serait d'une bonne latinité. En voyant l'expression diabolique de la dame, je croirais plutôt que l'artiste a voulu mettre en garde le spectateur contre cette terrible beauté. Je traduirais donc : "Prends garde à toi si *elle* t'aime."

– Humph ! dit M. de Peyrehorade, oui, c'est un sens admissible ; mais, ne vous en déplaise, je préfère la première traduction, que je développerai pourtant. Vous connaissez l'amant de Vénus ?

– Il y en a plusieurs.

– Oui ; mais le premier, c'est Vulcain. N'a-t-on pas voulu dire : "Malgré toute ta beauté, ton air dédaigneux, tu auras un forgeron, un vilain boiteux pour amant ?" Leçon profonde, monsieur, pour les coquettes ! »

Je ne pus m'empêcher de sourire, tant l'explication me parut tirée par les cheveux.

« C'est une terrible langue que le latin avec sa concision », observai-je pour éviter de contredire formellement mon antiquaire, et je reculai de quelques pas afin de mieux contempler la statue.

« Un instant, collègue ! dit M. de Peyrehorade en m'arrêtant par le bras, vous n'avez pas tout vu. Il y a encore une autre inscription. Montez sur le socle et regardez au bras droit. » En parlant ainsi, il m'aidait à monter.

Je m'accrochai sans trop de façon au cou de la Vénus, avec laquelle je commençais à me familiariser. Je la regardai même un instant *sous le nez,* et la trouvai de près encore plus méchante et encore plus belle. Puis je reconnus qu'il y avait, gravés sur le bras, quelques caractères d'écriture cursive antique, à ce qu'il me sembla. A grand renfort de besicles j'épelai ce qui suit, et cependant M. de Peyrehorade répétait chaque mot à mesure que je le prononçais, approuvant du geste et de la voix. Je lus donc :

VENERI TVRBVL...
EVTYCHES MYRO
IMPERIO FECIT.

Après ce mot *TVRBVL* de la première ligne, il me sembla qu'il y avait quelques lettres effacées ; mais *TVRBVL* était parfaitement lisible.

« Ce qui veut dire ?... me demanda mon hôte, radieux et souriant avec malice, car il pensait bien que je ne me tirerais pas facilement de ce *TVRBVL.*

– Il y a un mot que je ne m'explique pas encore, lui dis-je ; tout le reste est facile. Eutychès Myron a fait cette offrande à Vénus par son ordre.

– A merveille. Mais *TVRBVL,* qu'en faites-vous ? Qu'est-ce que *TVRBVL* ?

– *TVRBVL* m'embarrasse fort. Je cherche en vain quelque épithète connue de Vénus qui puisse m'aider. Voyons, que diriez-vous de *TVRBVLENTA* ? Vénus qui trouble, qui agite... Vous vous apercevez que je suis toujours préoccupé de son expression méchante. *TVRBVLENTA,* ce n'est point une trop mauvaise épithète pour Vénus, ajoutai-je d'un ton modeste, car je n'étais pas moi-même fort satisfait de mon explication.

– Vénus turbulente ! Vénus la tapageuse ! Ah ! vous croyez donc que ma Vénus est une Vénus de cabaret ? Point du tout, monsieur ; c'est une Vénus de bonne compagnie. Mais je vais vous expliquer ce *TVRBVL*... Au moins vous me promettez de ne point divulguer ma découverte avant l'impression de mon mémoire. C'est que, voyez-vous, je m'en fais gloire, de cette trouvaille-là... Il faut bien que vous nous laissiez quelques épis à glaner, à nous autres pauvres diables de provinciaux. Vous êtes si riches, messieurs les savants de Paris ! »

Du haut du piédestal, où j'étais toujours perché, je lui promis solennellement que je n'aurais jamais l'indignité de lui voler sa découverte.

« *TVRBVL*..., monsieur, dit-il en se rapprochant et baissant la voix de peur qu'un autre que moi ne pût l'entendre, lisez *TVRBVLNERÆ*.

– Je ne comprends pas davantage.

– Ecoutez bien. A une lieue d'ici, au pied de la montagne, il y a un village qui s'appelle Boulternère. C'est une corruption du mot latin *TVRBVLNERA*. Rien de plus commun que ces inversions. Boulternère, monsieur, a été une ville romaine. Je m'en étais toujours douté, mais jamais je n'en avais eu la preuve. La preuve, la voilà. Cette Vénus était la divinité topique de la cité de Boulternère, et ce mot de Boulternère, que je viens de démontrer d'origine antique, prouve une chose bien plus curieuse, c'est que Boulternère, avant d'être une ville romaine, a été une ville phénicienne ! »

Il s'arrêta un moment pour respirer et jouir de ma surprise. Je parvins à réprimer une forte envie de rire.

« En effet, poursuivit-il, *TVRBVLNERA* est pur phénicien, *TVR*, prononcez *TOUR*...*TOUR* et *SOUR*, même mot, n'est-ce pas ? *SOUR* est le nom phénicien de Tyr ; je n'ai pas besoin de vous en rappeler le sens. *BVL*, c'est Baal, Bâl, Bel, Bul, légères différences de prononciation. Quant à *NERA*, cela me donne un peu de peine. Je suis tenté de croire, faute de trouver un mot phénicien, que cela vient du grec νηρός, humide, marécageux. Ce serait donc un mot hybride. Pour justifier νηρός, je vous montrerai à Boulternère comment les ruisseaux de la montagne y forment des mares infectes. D'autre part, la terminaison *NERA* aurait pu être ajoutée beaucoup plus tard en l'honneur de Nera Pivesuvia, femme de Tétricus, laquelle aurait fait quelque bien à la cité de Turbul. Mais, à cause des mares, je préfère l'étymologie de νηρός. »

Il prit une prise de tabac d'un air satisfait.

« Mais laissons les Phéniciens, et revenons à l'inscription. Je traduis donc : A Vénus de Boulternère Myron dédie par son ordre cette statue, son ouvrage. »

Je me gardai bien de critiquer son étymologie, mais je voulus à mon tour faire preuve de pénétration, et je lui dis :

« Halte-là, monsieur. Myron a consacré quelque chose, mais je ne vois nullement que ce soit cette statue.

– Comment ! s'écria-t-il, Myron n'était-il pas un fameux sculpteur grec ? Le talent se sera perpétué dans sa famille : c'est un de ses descendants qui aura fait cette statue. Il n'y a rien de plus sûr.

– Mais, répliquai-je, je vois sur le bras un petit trou. Je pense qu'il a servi à fixer quelque chose, un bracelet, par exemple, que ce Myron donna à Vénus en offrande expiatoire. Myron était un amant malheureux. Vénus était irritée contre lui : il l'apaisa en lui consacrant un bracelet d'or. Remarquez que *fecit* se prend fort souvent pour *consecravit*. Ce sont termes synonymes. Je vous en montrerais plus d'un exemple si j'avais sous la main Gruter ou bien Orelli. Il est naturel qu'un amoureux voie Vénus en rêve, qu'il s'imagine qu'elle lui commande de donner un bracelet d'or à sa statue. Myron lui consacra un bracelet... Puis les barbares ou bien quelque voleur sacrilège...

– Ah ! qu'on voit bien que vous avez fait des romans ! s'écria mon hôte en me donnant la main pour descendre. Non, monsieur, c'est un ouvrage de l'école de Myron. Regardez seulement le travail, et vous en conviendrez. »

M'étant fait une loi de ne jamais contredire à outrance les antiquaires entêtés, je baissai la tête d'un air convaincu en disant :

« C'est un admirable morceau.

– Ah ! mon Dieu, s'écria M. de Peyrehorade, encore un trait de vandalisme ! On aura jeté une pierre à ma statue ! »

Il venait d'apercevoir une marque blanche un peu au-dessus du sein de la Vénus. Je remarquai une trace semblable sur les doigts de la main droite, qui, je le supposai alors, avaient été touchés dans le trajet de la pierre, ou bien un fragment s'en était détaché par le choc et avait ricoché sur la main. Je contai à mon hôte l'insulte dont j'avais été témoin et la prompte punition qui s'en était suivie. Il en rit beaucoup, et, comparant l'apprenti à Diomède[1], il lui souhaita de voir, comme le héros grec, tous ses compagnons changés en oiseaux blancs.

La cloche du déjeuner interrompit cet entretien classique, et, de même que la veille, je fus obligé de manger comme quatre. Puis vinrent des fermiers de M. de Peyrehorade ; et, pendant qu'il leur donnait audience, son fils me mena voir une calèche qu'il avait achetée à Toulouse pour sa fiancée, et que j'admirai, cela va sans dire. Ensuite j'entrai avec lui dans l'écurie, où il me tint une demi-heure

1. D'après les légendes post-homériques, Vénus se vengea de Diomède en métamorphosant les compagnons de celui-ci en oiseaux blancs.

à me vanter ses chevaux, à me faire leur généalogie, à me conter les prix qu'ils avaient gagnés aux courses du département. Enfin, il en vint à me parler de sa future, par la transition d'une jument grise qu'il lui destinait.

« Nous la verrons aujourd'hui, dit-il. Je ne sais si vous la trouverez jolie. Vous êtes difficiles, à Paris ; mais tout le monde, ici et à Perpignan, la trouve charmante. Le bon, c'est qu'elle est fort riche. Sa tante de Prades lui a laissé son bien. Oh ! je vais être fort heureux. »

Je fus profondément choqué de voir un jeune homme paraître plus touché de la dot que des beaux yeux de sa future.

« Vous vous connaissez en bijoux, poursuivit M. Alphonse, comment trouvez-vous ceci ? Voici l'anneau que je lui donnerai demain. »

En parlant ainsi, il tirait de la première phalange de son petit doigt une grosse bague enrichie de diamants, et formée de deux mains entrelacées ; allusion qui me parut infiniment poétique. Le travail en était ancien, mais je jugeai qu'on l'avait retouchée pour enchâsser les diamants. Dans l'intérieur de la bague se lisaient ces mots en lettres gothiques : *Sempr'ab ti*, c'est-à-dire, toujours avec toi.

« C'est une jolie bague, lui dis-je ; mais ces diamants ajoutés lui ont fait perdre un peu de son caractère.

– Oh ! elle est bien plus belle comme cela, répondit-il en souriant. Il y a là pour douze cents francs de diamants. C'est ma mère qui me l'a donnée. C'était une bague de famille très ancienne... du temps de la chevalerie. Elle avait servi à ma grand-mère, qui la tenait de la sienne. Dieu sait quand cela a été fait.

– L'usage à Paris, lui dis-je, est de donner un anneau tout simple, ordinairement composé de deux métaux différents, comme de l'or et du platine. Tenez, cette autre bague, que vous avez à ce doigt, serait fort convenable.

Celle-ci, avec ses diamants et ses mains en relief, est si grosse, qu'on ne pourrait mettre un gant par-dessus.

– Oh ! Mme Alphonse s'arrangera comme elle voudra. Je crois qu'elle sera toujours bien contente de l'avoir. Douze cents francs au doigt, c'est agréable. Cette petite bague-là, ajouta-t-il en regardant d'un air de satisfaction l'anneau tout uni qu'il portait à la main, celle-là, c'est une femme à Paris qui me l'a donnée un jour de Mardi gras. Ah ! comme je m'en suis donné quand j'étais à Paris, il y a deux ans ! C'est là qu'on s'amuse !... » Et il soupira de regret.

Nous devions dîner ce jour-là à Puygarrig, chez les parents de la future ; nous montâmes en calèche, et nous nous rendîmes au château, éloigné d'Ille d'environ une lieue et demie. Je fus présenté et accueilli comme l'ami de la famille. Je ne parlerai pas du dîner ni de la conversation qui s'ensuivit, et à laquelle je pris peu de part. M. Alphonse, placé à côté de sa future, lui disait un mot à l'oreille tous les quarts d'heure. Pour elle, elle ne levait guère les yeux, et, chaque fois que son prétendu lui parlait, elle rougissait avec modestie, mais lui répondait sans embarras.

Mlle de Puygarrig avait dix-huit ans, sa taille souple et délicate contrastait avec les formes osseuses de son robuste fiancé. Elle était non seulement belle, mais séduisante. J'admirais le naturel parfait de toutes ses réponses ; et son air de bonté, qui pourtant n'était pas exempt d'une légère teinte de malice, me rappela, malgré moi, la Vénus de mon hôte. Dans cette comparaison que je fis en moi-même, je me demandais si la supériorité de beauté qu'il fallait bien accorder à la statue ne tenait pas, en grande partie, à son expression de tigresse ; car l'énergie, même dans les mauvaises passions, excite toujours en nous un étonnement et une espèce d'admiration involontaire.

« Quel dommage, me dis-je en quittant Puygarrig,

qu'une si aimable personne soit riche, et que sa dot la fasse rechercher par un homme indigne d'elle ! »

En revenant à Ille, et ne sachant trop que dire à Mme de Peyrehorade, à qui je croyais convenable d'adresser quelquefois la parole :

« Vous êtes bien esprits forts en Roussillon ! m'écriai-je ; comment, madame, vous faites un mariage un vendredi ! A Paris, nous aurions plus de superstition ; personne n'oserait prendre femme un tel jour.

– Mon Dieu ! ne m'en parlez pas, me dit-elle, si cela n'avait dépendu que de moi, certes on eût choisi un autre jour. Mais Peyrehorade l'a voulu, et il a fallu lui céder. Cela me fait de la peine pourtant. S'il arrivait quelque malheur ? Il faut bien qu'il y ait une raison car enfin pourquoi tout le monde a-t-il peur du vendredi ?

– Vendredi ! s'écria son mari, c'est le jour de Vénus ! Bon jour pour un mariage ! Vous le voyez, mon cher collègue, je ne pense qu'à ma Vénus. D'honneur ! c'est à cause d'elle que j'ai choisi le vendredi. Demain, si vous voulez, avant la noce, nous lui ferons un petit sacrifice, nous sacrifierons deux palombes, et, si je savais où trouver de l'encens...

– Fi donc, Peyrehorade ! interrompit sa femme scandalisée au dernier point. Encenser une idole ! Ce serait une abomination ! Que dirait-on de nous dans le pays ?

– Au moins, dit M. de Peyrehorade, tu me permettras de lui mettre sur la tête une couronne de roses et de lis :

Manibus date lilia plenis[1].

Vous le voyez, monsieur, la charte est un vain mot. Nous n'avons pas la liberté des cultes ! »

Les arrangements du lendemain furent réglés de la manière suivante. Tout le monde devait être prêt et en

1. « Donnez des lis à pleines mains » (*Enéide*, VI, 883).

toilette à dix heures précises. Le chocolat pris, on se rendrait en voiture à Puygarrig. Le mariage civil devait se faire à la mairie du village, et la cérémonie religieuse dans la chapelle du château. Viendrait ensuite un déjeuner. Après le déjeuner on passerait le temps comme l'on pourrait jusqu'à sept heures. A sept heures, on retournerait à Ille, chez M. de Peyrehorade, où devaient souper les deux familles réunies. Le reste s'ensuit naturellement. Ne pouvant danser, on avait voulu manger le plus possible.

Dès huit heures, j'étais assis devant la Vénus, un crayon à la main, recommençant pour la vingtième fois la tête de la statue, sans pouvoir parvenir à en saisir l'expression. M. de Peyrehorade allait et venait autour de moi, me donnait des conseils, me répétait ses étymologies phéniciennes ; puis disposait des roses du Bengale sur le piédestal de la statue, et d'un ton tragi-comique lui adressait des vœux pour le couple qui allait vivre sous son toit. Vers neuf heures il rentra pour songer à sa toilette, et en même temps parut M. Alphonse, bien serré dans un habit neuf, en gants blancs, souliers vernis, boutons ciselés, une rose à la boutonnière.

« Vous ferez le portrait de ma femme ? me dit-il en se penchant sur mon dessin. Elle est jolie aussi. »

En ce moment commençait, sur le jeu de paume dont j'ai parlé, une partie qui, sur-le-champ, attira l'attention de M. Alphonse. Et moi, fatigué, et désespérant de rendre cette diabolique figure, je quittai bientôt mon dessin pour regarder les joueurs. Il y avait parmi eux quelques muletiers espagnols arrivés de la veille. C'étaient des Aragonais et des Navarrois, presque tous d'une adresse merveilleuse. Aussi les Illois, bien qu'encouragés par la présence et les conseils de M. Alphonse, furent-ils assez promptement battus par ces nouveaux champions. Les spectateurs nationaux étaient consternés. M. Alphonse regarda sa montre. Il n'était encore que neuf heures et demie. Sa mère n'était pas coiffée. Il n'hésita plus : il ôta son habit, demanda une veste, et défia les Espagnols. Je le regardais faire en souriant, et un peu surpris.

« Il faut soutenir l'honneur du pays », dit-il.

Alors je le trouvai vraiment beau. Il était passionné. Sa toilette, qui l'occupait si fort tout à l'heure, n'était plus rien pour lui. Quelques minutes avant, il eût craint de tourner la tête de peur de déranger sa cravate. Maintenant il ne pensait plus à ses cheveux frisés ni à son jabot si bien plissé. Et sa fiancée ?... Ma foi, si cela eût été nécessaire, il aurait, je crois, fait ajourner le mariage. Je le vis chausser à la hâte une paire de sandales, retrousser ses manches, et, d'un air assuré, se mettre à la tête du parti vaincu, comme César ralliant ses soldats à Dyrrachium. Je sautai la haie, et me plaçai commodément à l'ombre d'un micocoulier, de façon à bien voir les deux camps.

Contre l'attente générale, M. Alphonse manqua la première balle ; il est vrai qu'elle vint rasant la terre et lancée avec une force surprenante par un Aragonais qui paraissait être le chef des Espagnols.

C'était un homme d'une quarantaine d'années, sec et nerveux, haut de six pieds, et sa peau olivâtre avait une teinte presque aussi foncée que le bronze de la Vénus.

M. Alphonse jeta sa raquette à terre avec fureur.

« C'est cette maudite bague, s'écria-t-il, qui me serre le doigt et me fait manquer une balle sûre ! »

Il ôta, non sans peine, sa bague de diamants : je m'approchais pour la recevoir ; mais il me prévint, courut à la Vénus, lui passa la bague au doigt annulaire, et reprit son poste à la tête des Illois.

Il était pâle, mais calme et résolu. Dès lors il ne fit plus une seule faute, et les Espagnols furent battus complètement. Ce fut un beau spectacle que l'enthousiasme des spectateurs : les uns poussaient mille cris de joie en jetant leurs bonnets en l'air ; d'autres lui serraient les mains, l'appelant l'honneur du pays. S'il eût repoussé une invasion, je doute qu'il eût reçu des félicitations plus vives et plus sincères. Le chagrin des vaincus ajoutait encore à l'éclat de sa victoire.

« Nous ferons d'autres parties, mon brave, dit-il à l'Aragonais d'un ton de supériorité ; mais je vous rendrai des points. »

J'aurais désiré que M. Alphonse fût plus modeste, et je fus presque peiné de l'humiliation de son rival.

Le géant espagnol ressentit profondément cette insulte. Je le vis pâlir sous sa peau basanée. Il regardait d'un air morne sa raquette en serrant les dents ; puis, d'une voix étouffée, il dit tout bas : *Me lo pagaràs*[1].

La voix de M. de Peyrehorade troubla le triomphe de son fils : mon hôte, fort étonné de ne point le trouver présidant aux apprêts de la calèche neuve, le fut bien plus encore en le voyant tout en sueur la raquette à la main. M. Alphonse courut à la maison, se lava la figure et les mains, remit son habit neuf et ses souliers vernis, et cinq minutes après nous étions au grand trot sur la route de Puygarrig. Tous les joueurs de paume de la ville et grand nombre de spectateurs nous suivirent avec des cris de joie. A peine les chevaux vigoureux qui nous traînaient pouvaient-ils maintenir leur avance sur ces intrépides Catalans.

Nous étions à Puygarrig, et le cortège allait se mettre en marche pour la mairie, lorsque M. Alphonse, se frappant le front, me dit tout bas :

« Quelle brioche ! J'ai oublié la bague ! Elle est au doigt de la Vénus, que le diable puisse emporter ! Ne le dites pas à ma mère au moins. Peut-être qu'elle ne s'apercevra de rien.

– Vous pourriez envoyer quelqu'un, lui dis-je.

1. « Tu me le paieras. »

– Bah ! mon domestique est resté à Ille, ceux-ci, je ne m'y fie guère. Douze cents francs de diamants ! cela pourrait en tenter plus d'un. D'ailleurs que penserait-on ici de ma distraction ? Ils se moqueraient trop de moi. Ils m'appelleraient le mari de la statue... Pourvu qu'on ne me la vole pas ! Heureusement que l'idole fait peur à mes coquins. Ils n'osent l'approcher à longueur de bras. Bah ! ce n'est rien ; j'ai une autre bague. »

Les deux cérémonies civile et religieuse s'accomplirent avec la pompe convenable ; et Mlle de Puygarrig reçut l'anneau d'une modiste de Paris, sans se douter que son fiancé lui faisait le sacrifice d'un gage amoureux. Puis on se mit à table, où l'on but, mangea, chanta même, le tout fort longuement. Je souffrais pour la mariée de la grosse joie qui éclatait autour d'elle : pourtant elle faisait meilleure contenance que je ne l'aurais espéré, et son embarras n'était ni de la gaucherie ni de l'affectation.

Peut-être le courage vient-il avec les situations difficiles.

Le déjeuner terminé quand il plut à Dieu, il était quatre heures, les hommes allèrent se promener dans le parc, qui était magnifique, ou regardèrent danser sur la pelouse du château les paysannes de Puygarrig, parées de leurs habits de fête. De la sorte, nous employâmes quelques heures. Cependant les femmes étaient fort empressées autour de la mariée, qui leur faisait admirer sa corbeille. Puis elle changea de toilette, et je remarquai qu'elle couvrit ses beaux cheveux d'un bonnet et d'un chapeau à plumes, car les femmes n'ont rien de plus pressé que de prendre, aussitôt qu'elles le peuvent, les parures que l'usage leur défend de porter quand elles sont encore demoiselles.

Il était près de huit heures quand on se disposa à partir pour Ille. Mais d'abord eut lieu une scène pathétique. La tante de Mlle de Puygarrig, qui lui servait de mère, femme très âgée et fort dévote, ne devait point aller avec nous à la ville. Au départ elle fit à sa nièce un sermon touchant sur ses devoirs d'épouse, duquel sermon résulta un torrent de larmes et des embrassements sans fin. M. de Peyrehorade comparait cette séparation à l'enlèvement des Sabines. Nous partîmes pourtant, et, pendant la route, chacun s'évertua pour distraire la mariée et la faire rire ; mais ce fut en vain.

A Ille, le souper nous attendait, et quel souper ! Si la grosse joie du matin m'avait choqué, je le fus bien davantage des équivoques et des plaisanteries dont le marié et la mariée surtout furent l'objet. Le marié, qui avait disparu un instant avant de se mettre à table, était pâle et d'un sérieux de glace. Il buvait à chaque instant du vieux vin de Collioure presque aussi fort que de l'eau-de-vie. J'étais à côté de lui, et me crus obligé de l'avertir :

« Prenez garde ! on dit que le vin... »

Je ne sais quelle sottise je lui dis pour me mettre à l'unisson des convives.

Il me poussa le genou, et très bas il me dit :

« Quand on se lèvera de table..., que je puisse vous dire deux mots. »

Son ton solennel me surprit. Je le regardai plus attentivement, et je remarquai l'étrange altération de ses traits.

« Vous sentez-vous indisposé ? lui demandai-je.

– Non. »

Et il se remit à boire.

Cependant, au milieu des cris et des battements de mains, un enfant de onze ans, qui s'était glissé sous la table, montrait aux assistants un joli ruban blanc et rose qu'il venait de détacher de la cheville de la mariée. On appelle cela sa jarretière. Elle fut aussitôt coupée par morceaux et distribuée aux jeunes gens, qui en ornèrent leur boutonnière, suivant un antique usage qui se conserve encore dans quelques familles patriarcales. Ce fut pour la mariée une occasion de rougir jusqu'au blanc des yeux... Mais son trouble fut au comble lorsque M. de Peyrehorade, ayant réclamé le silence, lui chanta quelques vers catalans, impromptu, disait-il. En voici le sens, si je l'ai bien compris :

« Qu'est-ce donc, mes amis ? le vin que j'ai bu me fait-il voir double ? Il y a deux Vénus ici... »

Le marié tourna brusquement la tête d'un air effaré, qui fit rire tout le monde.

« Oui, poursuivit M. de Peyrehorade, il y a deux Vénus sous mon toit. L'une, je l'ai trouvée dans la terre comme une truffe ; l'autre, descendue des cieux, vient de nous partager sa ceinture. »

Il voulait dire sa jarretière.

« Mon fils, choisis de la Vénus romaine ou de la catalane celle que tu préfères. Le maraud prend la catalane, et sa part est la meilleure. La romaine est noire, la catalane est blanche. La romaine est froide, la catalane enflamme tout ce qui l'approche. »

Cette chute excita un tel hourra, des applaudissements si bruyants et des rires si sonores, que je crus que le plafond allait nous tomber sur la tête. Autour de la table il n'y avait que trois visages sérieux, ceux des mariés et le mien. J'avais un grand mal de tête : et puis, je ne sais pourquoi, un mariage m'attriste toujours. Celui-là, en outre, me dégoûtait un peu.

Les derniers couplets ayant été chantés par l'adjoint du maire, et ils étaient fort lestes, je dois le dire, on passa dans le salon pour jouir du départ de la mariée, qui devait être bientôt conduite à sa chambre, car il était près de minuit.

M. Alphonse me tira dans l'embrasure d'une fenêtre, et me dit en détournant les yeux :

« Vous allez vous moquer de moi... Mais je ne sais ce que j'ai... je suis ensorcelé ! le diable m'emporte ! »

La première pensée qui me vint fut qu'il se croyait

menacé de quelque malheur du genre de ceux dont parlent Montaigne et Mme de Sévigné :

« Tout l'empire amoureux est plein d'histoires tragiques, etc. »

Je croyais que ces sortes d'accidents n'arrivaient qu'aux gens d'esprit, me dis-je à moi-même.

« Vous avez trop bu de vin de Collioure, mon cher monsieur Alphonse, lui dis-je. Je vous avais prévenu.

– Oui, peut-être. Mais c'est quelque chose de bien plus terrible. »

Il avait la voix entrecoupée. Je le crus tout à fait ivre.

« Vous savez bien, mon anneau ? poursuivit-il après un silence.

– Eh bien, on l'a pris ?

– Non.

– En ce cas, vous l'avez ?

– Non... je... je ne puis l'ôter du doigt de cette diable de Vénus.

– Bon ! vous n'avez pas tiré assez fort.

– Si fait... Mais la Vénus... elle a serré le doigt. »

Il me regardait fixement d'un air hagard, s'appuyant à l'espagnolette pour ne pas tomber.

« Quel conte ! lui dis-je. Vous avez trop enfoncé l'anneau. Demain vous l'aurez avec des tenailles. Mais prenez garde de gâter la statue.

– Non, vous dis-je. Le doigt de la Vénus est retiré, reployé ; elle serre la main, m'entendez-vous ?... C'est ma femme, apparemment, puisque je lui ai donné mon anneau... Elle ne veut plus le rendre. »

J'éprouvai un frisson subit, et j'eus un instant la chair de poule. Puis, un grand soupir qu'il fit m'envoya une bouffée de vin, et toute émotion disparut.

Le misérable, pensai-je, est complètement ivre.

« Vous êtes antiquaire, monsieur, ajouta le marié d'un ton lamentable, vous connaissez ces statues-là... il y a peut-être quelque ressort, quelque diablerie, que je ne connais point... Si vous alliez voir ?

– Volontiers, dis-je. Venez avec moi.

– Non, j'aime mieux que vous y alliez seul. »

Je sortis du salon.

Le temps avait changé pendant le souper, et la pluie commençait à tomber avec force. J'allais demander un parapluie, lorsqu'une réflexion m'arrêta. « Je serais un bien grand sot, me dis-je, d'aller vérifier ce que m'a dit un homme ivre ! Peut-être, d'ailleurs, a-t-il voulu me faire quelque méchante plaisanterie pour apprêter à rire à ces honnêtes provinciaux ; et le moins qu'il puisse m'en arriver c'est d'être trempé jusqu'aux os et d'attraper un bon rhume. »

De la porte je jetai un coup d'œil sur la statue ruisselante d'eau, et je montai dans ma chambre sans rentrer dans le salon. Je me couchai ; mais le sommeil fut long à venir. Toutes les scènes de la journée se représentaient à mon esprit. Je pensais à cette jeune fille si belle et si pure abandonnée à un ivrogne brutal. Quelle odieuse chose, me disais-je, qu'un mariage de convenance ! Un maire revêt une écharpe tricolore, un curé une étole, et voilà la plus honnête fille du monde livrée au Minotaure ! Deux êtres qui ne s'aiment pas, que peuvent-ils se dire dans un pareil moment, que deux amants achèteraient au prix de leur existence ? Une femme peut-elle jamais aimer un homme qu'elle aura vu grossier une fois ? Les premières impressions ne s'effacent pas, et, j'en suis sûr, ce M. Alphonse méritera bien d'être haï...

Durant mon monologue, que j'abrège beaucoup, j'avais entendu force allées et venues dans la maison, les portes s'ouvrir et se fermer, des voitures partir ; puis il me semblait avoir entendu sur l'escalier les pas légers de plusieurs femmes se dirigeant vers l'extrémité du corridor opposée à ma chambre. C'était probablement le cortège de la mariée qu'on menait au lit. Ensuite on avait redescendu l'escalier. La porte de Mme de Peyrehorade s'était fermée. Que cette pauvre fille, me dis-je, doit être troublée et mal à son aise ! Je me tournais dans mon lit de mauvaise humeur. Un garçon joue un sot rôle dans une maison où s'accomplit un mariage.

Le silence régnait depuis quelque temps lorsqu'il fut troublé par des pas lourds qui montaient l'escalier. Les marches de bois craquèrent fortement.

« Quel butor ! m'écriai-je. Je parie qu'il va tomber dans l'escalier. »

Tout redevint tranquille. Je pris un livre pour changer le cours de mes idées. C'était une statistique du département, ornée d'un mémoire de M. de Peyrehorade sur les monuments druidiques de l'arrondissement de Prades. Je m'assoupis à la troisième page.

Je dormis mal et me réveillai plusieurs fois. Il pouvait être cinq heures du matin, et j'étais éveillé depuis plus de vingt minutes, lorsque le coq chanta. Le jour allait se lever. Alors j'entendis distinctement les mêmes pas lourds, le même craquement de l'escalier que j'avais entendus avant de m'endormir. Cela me parut singulier. J'essayai, en bâillant, de deviner pourquoi M. Alphonse se levait si matin. Je n'imaginais rien de vraisemblable. J'allais refermer les yeux lorsque mon attention fut de nouveau excitée par des trépignements étranges auxquels se mêlèrent bientôt le tintement des sonnettes et le bruit de portes qui s'ouvraient avec fracas, puis je distinguai des cris confus.

« Mon ivrogne aura mis le feu quelque part ! » pensais-je en sautant à bas de mon lit.

Je m'habillai rapidement et j'entrai dans le corridor. De l'extrémité opposée partaient des cris et des lamentations, et une voix déchirante dominait toutes les autres : « Mon fils ! mon fils ! » Il était évident qu'un malheur était arrivé à M. Alphonse. Je courus à la chambre nuptiale : elle était pleine de monde. Le premier spectacle qui frappa ma vue fut le jeune homme à demi vêtu, étendu en travers sur le lit dont le bois était brisé. Il était livide, sans mouvement. Sa mère pleurait et criait à côté de lui. M. de Peyrehorade s'agitait, lui frottait les tempes avec de l'eau de Cologne, on lui mettait des sels sous le nez. Hélas ! depuis longtemps son fils était mort. Sur un canapé, à l'autre bout de la chambre, était la mariée, en proie à d'horribles convulsions. Elle poussait des cris inarticulés, et deux robustes servantes avaient toutes les peines du monde à la contenir.

« Mon Dieu ! m'écriai-je, qu'est-il donc arrivé ? »

Je m'approchai du lit et soulevai le corps du malheureux jeune homme ; il était déjà raide et froid. Ses dents serrées et sa figure noircie exprimaient les plus affreuses angoisses. Il paraissait assez que sa mort avait été violente et son agonie terrible. Nulle trace de sang cependant sur ses habits. J'écartai sa chemise et vis sur sa poitrine une empreinte livide qui se prolongeait sur les côtes et le dos. On eût dit qu'il avait été étreint dans un cercle de fer. Mon pied posa sur quelque chose de dur qui se trouvait sur le tapis ; je me baissai et vis la bague de diamants.

J'entraînai M. de Peyrehorade et sa femme dans leur chambre ; puis j'y fis porter la mariée.

« Vous avez encore une fille, leur dis-je, vous lui devez vos soins. » Alors je les laissai seuls.

Il ne me paraissait pas douteux que M. Alphonse n'eût été victime d'un assassinat dont les auteurs avaient trouvé moyen de s'introduire la nuit dans la chambre de la mariée. Ces meurtrissures à la poitrine, leur direction circulaire m'embarrassaient beaucoup pourtant, car un bâton ou une barre de fer n'aurait pu les produire. Tout d'un coup, je me souvins d'avoir entendu dire qu'à Valence des braves se servaient de longs sacs de cuir remplis de sable fin pour assommer les gens dont on leur avait payé la mort. Aussitôt, je me rappelai le muletier aragonais et sa menace ; toutefois, j'osais à peine penser qu'il eût tiré une si terrible vengeance d'une plaisanterie légère.

J'allais dans la maison, cherchant partout des traces d'effraction, et n'en trouvant nulle part. Je descendis dans le jardin pour voir si les assassins avaient pu s'introduire de ce côté ; mais je ne trouvai aucun indice certain. La pluie de la veille avait d'ailleurs tellement détrempé le sol, qu'il n'aurait pu garder d'empreinte bien nette. J'observai pourtant quelques pas profondément imprimés dans la terre ; il y en avait dans deux directions contraires, mais sur une même ligne, partant de l'angle de la haie contiguë au jeu de paume et aboutissant à la porte de la maison. Ce pouvaient être les pas de M. Alphonse lorsqu'il était allé chercher son anneau au doigt de la statue. D'un autre côté, la haie, en cet endroit, étant moins fourrée qu'ailleurs, ce devait être sur ce point que les meurtriers l'auraient franchie. Passant et repassant devant la statue, je m'arrêtai un instant pour la considérer. Cette fois, je l'avouerai, je ne pus contempler sans effroi son expression de méchanceté ironique ; et, la tête toute pleine des scènes horribles dont je venais d'être le témoin, il me sembla voir une divinité infernale applaudissant au malheur qui frappait cette maison.

Je regagnai ma chambre et j'y restai jusqu'à midi. Alors je sortis et demandai des nouvelles de mes hôtes. Ils étaient un peu plus calmes. Mlle de Puygarrig, je devrais dire la veuve de M. Alphonse, avait repris connaissance. Elle avait même parlé au procureur du roi de Perpignan, alors en tournée à Ille, et ce magistrat avait reçu sa déposition. Il me demanda la mienne. Je lui dis ce que je savais, et ne lui cachai pas mes soupçons contre le muletier aragonais. Il ordonna qu'il fût arrêté sur-le-champ.

« Avez-vous appris quelque chose de Mme Alphonse ?

demandai-je au procureur du roi, lorsque ma déposition fut écrite et signée.

– Cette malheureuse jeune femme est devenue folle, me dit-il en souriant tristement. Folle ! tout à fait folle. Voici ce qu'elle conte :

– Elle était couchée, dit-elle, depuis quelques minutes, les rideaux tirés, lorsque la porte de sa chambre s'ouvrit, et quelqu'un entra. Alors Mme Alphonse était dans la ruelle du lit, la figure tournée vers la muraille. Elle ne fit pas un mouvement, persuadée que c'était son mari. Au bout d'un instant, le lit cria comme s'il était chargé d'un poids énorme. Elle eut grand-peur, mais n'osa pas tourner la tête. Cinq minutes, dix minutes peut-être... elle ne peut se rendre compte du temps, se passèrent de la sorte. Puis elle fit un mouvement involontaire, ou bien la personne qui était dans le lit en fit un, et elle sentit le contact de quelque chose de froid comme la glace, ce sont ses expressions. Elle s'enfonça dans la ruelle, tremblant de tous ses membres. Peu après, la porte s'ouvrit une seconde fois, et quelqu'un entra, qui dit : « Bonsoir, ma petite femme. » Bientôt après, on tira les rideaux. Elle entendit un cri étouffé. La personne qui était dans le lit, à côté d'elle, se leva sur son séant et parut étendre les bras en avant. Elle tourna la tête alors... et vit, dit-elle, son mari à genoux auprès du lit, la tête à la hauteur de l'oreiller, entre les bras d'une espèce de géant verdâtre qui l'étreignait avec force. Elle dit, et m'a répété vingt fois, pauvre femme !... elle dit qu'elle a reconnu... devinez-vous ? La Vénus de bronze, la statue de M. de Peyrehorade... Depuis qu'elle est dans le pays, tout le monde en rêve. Mais je reprends le récit de la malheureuse folle. A ce spectacle, elle perdit connaissance, et probablement depuis quelques instants elle avait perdu la raison. Elle ne peut en aucune façon dire combien de temps elle demeura évanouie. Revenue à elle, elle revit le fantôme, ou la statue, comme elle dit toujours, immobile, les jambes et le bas du corps dans le lit, le buste et les bras étendus en avant, et entre ses bras son mari, sans mouvement. Un coq chanta. Alors la statue sortit du lit, laissa tomber le cadavre et sortit. Mme Alphonse se pendit à la sonnette, et vous savez le reste. »

On amena l'Espagnol ; il était calme, et se défendit avec beaucoup de sang-froid et de présence d'esprit. Du reste, il ne nia pas le propos que j'avais entendu, mais il l'expliquait, prétendant qu'il n'avait voulu dire autre chose, sinon que le lendemain, reposé qu'il serait, il aurait gagné une partie de paume à son vainqueur. Je me rappelle qu'il ajouta :

« Un Aragonais, lorsqu'il est outragé, n'attend pas au lendemain pour se venger. Si j'avais cru que M. Alphonse eût voulu m'insulter, je lui aurais sur-le-champ donné de mon couteau dans le ventre. »

On compara ses souliers avec les empreintes de pas dans le jardin ; ses souliers étaient beaucoup plus grands.

Enfin l'hôtelier chez qui cet homme était logé assura qu'il avait passé toute la nuit à frotter et à médicamenter un de ses mulets qui était malade.

D'ailleurs cet Aragonais était un homme bien famé, fort connu dans le pays, où il venait tous les ans pour son commerce. On le relâcha donc en lui faisant des excuses.

J'oubliais la déposition d'un domestique qui le dernier avait vu M. Alphonse vivant. C'était au moment qu'il allait monter chez sa femme, et, appelant cet homme, il lui demanda d'un air d'inquiétude s'il savait où j'étais. Le domestique répondit qu'il ne m'avait point vu. Alors M. Alphonse fit un soupir et resta plus d'une minute sans parler, puis il dit : *Allons ! le diable l'aura emporté aussi !*

Je demandai à cet homme si M. Alphonse avait sa bague de diamants lorsqu'il lui parla. Le domestique hésita pour répondre ; enfin, il dit qu'il ne le croyait pas, qu'il n'y avait fait au reste aucune attention.

« S'il avait eu cette bague au doigt, ajouta-t-il en se reprenant, je l'aurais sans doute remarquée, car je croyais qu'il l'avait donnée à Mme Alphonse. »

En questionnant cet homme, je ressentais un peu de la terreur superstitieuse que la déposition de Mme Alphonse avait répandue dans toute la maison. Le procureur du roi me regarda en souriant, et je me gardai bien d'insister.

Quelques heures après les funérailles de M. Alphonse, je me disposai à quitter Ille. La voiture de M. de Peyrehorade devait me conduire à Perpignan. Malgré son état de faiblesse, le pauvre vieillard voulut m'accompagner jusqu'à la porte de son jardin. Nous le traversâmes en silence, lui se traînant à peine, appuyé sur mon bras. Au moment de nous séparer, je jetai un dernier regard sur la Vénus. Je prévoyais bien que mon hôte, quoiqu'il ne partageât point les terreurs et les haines qu'elle inspirait à une partie de sa famille, voudrait se défaire d'un objet qui lui rappellerait sans cesse un malheur affreux. Mon intention était de l'engager à la placer dans un musée. J'hésitais pour entrer en matière, quand M. de Peyrehorade tourna machinalement la tête du côté où il me voyait regarder fixement. Il aperçut la statue et aussitôt fondit en larmes. Je l'embrassai, et, sans oser lui dire un seul mot, je montai dans la voiture.

Depuis mon départ je n'ai point appris que quelque jour nouveau soit venu éclairer cette mystérieuse catastrophe.

M. de Peyrehorade mourut quelques mois après son fils. Par son testament il m'a légué ses manuscrits, que je publierai peut-être un jour. Je n'y ai point trouvé le mémoire relatif aux inscriptions de la Vénus.

P.-S. Mon ami M. de P. vient de m'écrire de Perpignan que la statue n'existe plus. Après la mort de son mari, le premier soin de Mme de Peyrehorade fut de la faire fondre en cloche, et sous cette nouvelle forme elle sert à l'église d'Ille. Mais, ajoute M. de P., il semble qu'un mauvais sort poursuive ceux qui possèdent ce bronze. Depuis que cette cloche sonne à Ille, les vignes ont gelé deux fois.

1837

VISION DE CHARLES XI

There are more things in heav'n and earth, Horatio,
Than are dreamt of in your philosophy.

SHAKESPEARE, *Hamlet.*

On se moque des visions et des apparitions surnaturelles ; quelques-unes, cependant, sont si bien attestées, que, si l'on refusait d'y croire, on serait obligé, pour être conséquent, de rejeter en masse tous les témoignages historiques.

Un procès-verbal en bonne forme, revêtu des signatures de quatre témoins dignes de foi, voilà ce qui garantit l'authenticité du fait que je vais raconter. J'ajouterai que la prédiction contenue dans ce procès-verbal était connue et citée bien longtemps avant que des événements arrivés de nos jours aient paru l'accomplir.

Charles XI, père du fameux Charles XII, était un des monarques les plus despotiques, mais un des plus sages qu'ait eus la Suède. Il restreignit les privilèges monstrueux de la noblesse, abolit la puissance du Sénat, et fit des lois de sa propre autorité ; en un mot, il changea la constitution du pays, qui était oligarchique avant lui, et força les Etats à lui confier l'autorité absolue. C'était d'ailleurs un homme éclairé, brave, fort attaché à la religion luthérienne, d'un caractère inflexible, froid, positif, entièrement dépourvu d'imagination.

Il venait de perdre sa femme Ulrique Eléonore. Quoique sa dureté pour cette princesse eût, dit-on, hâté sa fin, il l'estimait, et parut plus touché de sa mort qu'on ne l'aurait attendu d'un cœur aussi sec que le sien. Depuis cet événement, il devint encore plus sombre et taciturne qu'auparavant, et se livra au travail avec une application qui prouvait un besoin impérieux d'écarter des idées pénibles.

A la fin d'une soirée d'automne, il était assis en robe de chambre et en pantoufles devant un grand feu allumé dans son cabinet au palais de Stockholm. Il avait auprès de lui son chambellan, le comte Brahé, qu'il honorait de ses bonnes grâces, et le médecin Baumgarten, qui, soit dit en passant, tranchait de l'esprit fort, et voulait que l'on doutât de tout, excepté de la médecine. Ce soir-là, il l'avait fait venir pour le consulter sur je ne sais quelle indisposition.

La soirée se prolongeait, et le roi, contre sa coutume, ne leur faisait pas sentir, en leur donnant le bonsoir, qu'il était temps de se retirer. La tête baissée et les yeux fixés sur les tisons, il gardait un profond silence, ennuyé de sa compagnie, mais craignant, sans savoir pourquoi, de rester seul. Le comte Brahé s'apercevait bien que sa présence n'était pas fort agréable, et déjà plusieurs fois il avait exprimé la crainte que Sa Majesté n'eût besoin de repos : un geste du roi l'avait retenu à sa place. A son tour, le médecin parla du tort que les veilles font à la santé ; mais Charles lui répondit entre ses dents :

« Restez, je n'ai pas encore envie de dormir. »

Alors on essaya différents sujets de conversation qui s'épuisaient tous à la seconde ou troisième phrase. Il paraissait évident que Sa Majesté était dans une de ses humeurs noires, et, en pareille circonstance, la position d'un courtisan est bien délicate. Le comte Brahé, soupçonnant que la tristesse du roi provenait de ses regrets pour la perte de son épouse, regarda quelque temps le portrait de la reine suspendu dans le cabinet, puis il s'écria avec un grand soupir :

« Que ce portrait est ressemblant ! Voilà bien cette expression à la fois si majestueuse et si douce !

– Bah ! répondit brusquement le roi, qui croyait entendre un reproche toutes les fois qu'on prononçait devant lui le nom de la reine. Ce portrait est trop flatté ! La reine était laide. »

Puis, fâché intérieurement de sa dureté, il se leva et fit un tour dans la chambre pour cacher une émotion dont il rougissait. Il s'arrêta devant la fenêtre qui donnait sur la cour. La nuit était sombre et la lune à son premier quartier.

Le palais où résident aujourd'hui les rois de Suède n'était pas encore achevé, et Charles XI, qui l'avait commencé, habitait alors l'ancien palais situé à la pointe du Ritterholm qui regarde le lac Mœler. C'est un grand bâtiment en forme de fer à cheval. Le cabinet du roi était à l'une des extrémités, et à peu près en face se trouvait la grande salle où s'assemblaient les Etats quand ils devaient recevoir quelque communication de la Couronne.

Les fenêtres de cette salle semblaient en ce moment éclairées d'une vive lumière. Cela parut étrange au roi. Il supposa d'abord que cette lueur était produite par le flambeau de quelque valet. Mais qu'allait-on faire à cette heure dans une salle qui depuis longtemps n'avait pas été ouverte ? D'ailleurs, la lumière était trop éclatante pour provenir d'un seul flambeau. On aurait pu l'attribuer à un incendie ; mais on ne voyait point de fumée, les vitres n'étaient pas brisées, nul bruit ne se faisait entendre ; tout annonçait plutôt une illumination.

Charles regarda ces fenêtres quelque temps sans parler. Cependant le comte Brahé, étendant la main vers le cordon d'une sonnette, se disposait à sonner un page pour l'envoyer reconnaître la cause de cette singulière clarté ; mais le roi l'arrêta.

« Je veux aller moi-même dans cette salle », dit-il.

En achevant ces mots on le vit pâlir, et sa physionomie exprimait une espèce de terreur religieuse. Pourtant il sortit d'un pas ferme ; le chambellan et le médecin le suivirent, tenant chacun une bougie allumée.

Le concierge, qui avait la charge des clefs, était déjà couché. Baumgarten alla le réveiller et lui ordonna, de la part du roi, d'ouvrir sur-le-champ les portes de la salle des Etats. La surprise de cet homme fut grande à cet ordre inattendu ; il s'habilla à la hâte et joignit le roi avec son trousseau de clefs. D'abord il ouvrit la porte d'une galerie qui servait d'antichambre ou de dégagement à la salle des Etats. Le roi entra ; mais quel fut son étonnement en voyant les murs entièrement tendus de noir !

« Qui a donné l'ordre de faire tendre ainsi cette salle ? demanda-t-il d'un ton de colère.

– Sire, personne, que je sache, répondit le concierge tout troublé, et, la dernière fois que j'ai fait balayer la galerie, elle était lambrissée de chêne comme elle l'a toujours été... Certainement ces tentures-là ne viennent pas du garde-meuble de Votre Majesté. »

Et le roi, marchant d'un pas rapide, était déjà parvenu à plus des deux tiers de la galerie. Le comte et le concierge le suivaient de près ; le médecin Baumgarten était un peu en arrière, partagé entre la crainte de rester seul et celle de s'exposer aux suites d'une aventure qui s'annonçait d'une façon assez étrange.

« N'allez pas plus loin, sire ! s'écria le concierge. Sur mon âme, il y a de la sorcellerie là-dedans. A cette heure... et depuis la mort de la reine, votre gracieuse épouse..., on dit qu'elle se promène dans cette galerie... Que Dieu nous protège !

– Arrêtez ! sire ! s'écriait le comte de son côté. N'entendez-vous pas ce bruit qui part de la salle des Etats ? Qui sait à quels dangers Votre Majesté s'expose !

– Sire, disait Baumgarten, dont une bouffée de vent venait d'éteindre la bougie, permettez du moins que j'aille chercher une vingtaine de vos trabans.

– Entrons, dit le roi d'une voix ferme en s'arrêtant devant la porte de la grande salle ; et toi, concierge, ouvre vite cette porte. »

Il la poussa du pied, et le bruit, répété par l'écho des voûtes, retentit dans la galerie comme un coup de canon.

Le concierge tremblait tellement, que sa clef battait la serrure sans qu'il pût parvenir à la faire entrer.

« Un vieux soldat qui tremble ! dit Charles en haussant les épaules. – Allons, comte, ouvrez-nous cette porte.

– Sire, répondit le comte en reculant d'un pas, que Votre Majesté me commande de marcher à la bouche d'un canon danois ou allemand, j'obéirai sans hésiter ; mais c'est l'enfer que vous voulez que je défie. »

Le roi arracha la clef des mains du concierge.

« Je vois bien, dit-il d'un ton de mépris, que ceci me regarde seul » ; et, avant que sa suite eût pu l'en empêcher, il avait ouvert l'épaisse porte de chêne, et était entré dans la grande salle en prononçant ces mots : « Avec l'aide de Dieu ! » Ses trois acolytes, poussés par la curiosité, plus forte que la peur, et peut-être honteux d'abandonner leur roi, entrèrent avec lui.

La grande salle était éclairée par une infinité de flambeaux. Une tenture noire avait remplacé l'antique tapisserie à personnages. Le long des murailles paraissaient disposés en ordre, comme à l'ordinaire, des drapeaux allemands, danois ou moscovites, trophées des soldats de

Gustave-Adolphe. On distinguait au milieu des bannières suédoises, couvertes de crêpes funèbres.

Une assemblée immense couvrait les bancs. Les quatre ordres de l'Etat[1] siégeaient chacun à son rang. Tous étaient habillés de noir, et cette multitude de faces humaines, qui paraissaient lumineuses sur un fond sombre, éblouissaient tellement les yeux, que, des quatre témoins de cette scène extraordinaire, aucun ne put trouver dans cette foule une figure connue. Ainsi un acteur vis-à-vis d'un public nombreux ne voit qu'une masse confuse, où ses yeux ne peuvent distinguer un seul individu.

Sur le trône élevé d'où le roi avait coutume de haranguer l'assemblée, ils virent un cadavre sanglant, revêtu des insignes de la royauté. A sa droite, un enfant, debout et la couronne en tête, tenait un sceptre à la main ; à sa gauche, un homme âgé, ou plutôt un autre fantôme, s'appuyait sur le trône. Il était revêtu du manteau de cérémonie que portaient les anciens administrateurs de la Suède, avant que Wasa en eût fait un royaume. En face du trône, plusieurs personnages d'un maintien grave et austère, revêtus de longues robes noires, et qui paraissaient être des juges, étaient assis devant une table sur laquelle on voyait des grands in-folio et quelques parchemins. Entre le trône et les bancs de l'assemblée, il y avait un billot couvert d'un crêpe noir, et une hache reposait auprès.

Personne, dans cette assemblée surhumaine, n'eut l'air de s'apercevoir de la présence de Charles et des trois personnes qui l'accompagnaient. A leur entrée, ils n'entendirent d'abord qu'un murmure confus, au milieu duquel l'oreille ne pouvait saisir des mots articulés ; puis le plus âgé des juges en robe noire, celui qui paraissait remplir

1. La noblesse, le clergé, les bourgeois et les paysans.

les fonctions de président, se leva, et frappa trois fois de la main sur un in-folio ouvert devant lui. Aussitôt il se fit un profond silence. Quelques jeunes gens de bonne mine, habillés richement, et les mains liées derrière le dos, entrèrent dans la salle par une porte opposée à celle que venait d'ouvrir Charles XI. Ils marchaient la tête haute et le regard assuré. Derrière eux, un homme robuste, revêtu d'un justaucorps de cuir brun, tenait le bout des cordes qui leur liaient les mains. Celui qui marchait le premier, et qui semblait être le plus important des prisonniers, s'arrêta au milieu de la salle, devant le billot, qu'il regarda avec un dédain superbe. En même temps, le cadavre parut trembler d'un mouvement convulsif, et un sang frais et vermeil coula de sa blessure. Le jeune homme s'agenouilla, tendit la tête ; la hache brilla dans l'air, et retomba aussitôt avec bruit. Un ruisseau de sang jaillit sur l'estrade, et se confondit avec celui du cadavre ; et la tête, bondissant plusieurs fois sur le pavé rougi, roula jusqu'aux pieds de Charles, qu'elle teignit de sang.

Jusqu'à ce moment, la surprise l'avait rendu muet ; mais, à ce spectacle horrible, sa langue se délia ; il fit quelques pas vers l'estrade, et s'adressant à cette figure revêtue du manteau d'Administrateur, il prononça hardiment la formule bien connue :

« *Si tu es de Dieu, parle ; si tu es de l'Autre, laisse-nous en paix.* »

Le fantôme lui répondit lentement et d'un ton solennel :

« CHARLES ROI ! ce sang ne coulera pas sous ton règne... (ici la voix devint moins distincte) mais cinq règnes après. Malheur, malheur, malheur au sang de Wasa ! »

Alors les formes des nombreux personnages de cette étonnante assemblée commencèrent à devenir moins nettes et ne semblaient déjà plus que des ombres colorées, bientôt elles disparurent tout à fait ; les flambeaux fantastiques s'éteignirent, et ceux de Charles et de sa suite n'éclairèrent plus que les vieilles tapisseries, légèrement agitées par le vent. On entendit encore, pendant quelque temps, un bruit assez mélodieux, qu'un des témoins compara au murmure du vent dans les feuilles, et un autre, au son que rendent les cordes de harpe en cassant au moment où l'on accorde l'instrument. Tous furent d'accord sur la durée de l'apparition, qu'ils jugèrent avoir été d'environ dix minutes.

Les draperies noires, la tête coupée, les flots de sang qui teignaient le plancher, tout avait disparu avec les fantômes ; seulement la pantoufle de Charles conserva une tache rouge, qui seule aurait suffi pour lui rappeler les scènes de cette nuit, si elles n'avaient pas été trop bien gravées dans sa mémoire.

Rentré dans son cabinet, le roi fit écrire la relation de ce qu'il avait vu, la fit signer par ses compagnons, et la signa lui-même. Quelques précautions que l'on prît pour cacher le contenu de cette pièce au public, elle ne laissa pas d'être bientôt connue, même du vivant de Charles XI ; elle existe encore, et jusqu'à présent, personne ne s'est avisé d'élever des doutes sur son authenticité. La fin en est remarquable :

« Et, si ce que je viens de relater, dit le roi, n'est pas l'exacte vérité, je renonce à tout espoir d'une meilleure vie, laquelle je puis avoir méritée pour quelques bonnes actions, et surtout pour mon zèle à travailler au bonheur de mon peuple, et à défendre la religion de mes ancêtres. »

Maintenant, si l'on se rappelle la mort de Gustave III, et le jugement d'Ankarstroem, son assassin, on trouvera plus d'un rapport entre ces événements et les circonstances de cette singulière prophétie.

Le jeune homme décapité en présence des Etats aurait désigné Ankarstroem.

Le cadavre couronné serait Gustave III.

L'enfant, son fils et son successeur, Gustave-Adolphe IV.

Le vieillard, enfin, serait le duc de Sudermanie, oncle de Gustave IV, qui fut régent du royaume, puis enfin roi après la déposition de son neveu.

1829

IL VICCOLO DI MADAMA LUCREZIA

J'avais vingt-trois ans quand je partis pour Rome. Mon père me donna une douzaine de lettres de recommandation, dont une seule, qui n'avait pas moins de quatre pages, était cachetée. Il y avait sur l'adresse : « A la marquise Aldobrandi. »

– Tu m'écriras, me dit mon père, si la marquise est encore belle.

Or, depuis mon enfance, je voyais dans son cabinet, suspendu à la cheminée, le portrait en miniature d'une fort jolie femme, la tête poudrée et couronnée de lierre, avec une peau de tigre sur l'épaule. Sur le fond, on lisait : *Roma 18*... Le costume me paraissant singulier, il m'était arrivé bien des fois de demander quelle était cette dame. On me répondait :

– C'est une bacchante.

Mais cette réponse ne me satisfaisait guère ; même je soupçonnais un secret ; car, à cette question si simple, ma mère pinçait les lèvres, et mon père prenait un air sérieux.

Cette fois, en me donnant la lettre cachetée, il regarda le portrait à la dérobée ; j'en fis de même involontairement, et l'idée me vint que cette bacchante poudrée pouvait bien être la marquise Aldobrandi. Comme je commençais à comprendre les choses de ce monde, je tirai toute sorte de conclusions des mines de ma mère et du regard de mon père.

Arrivé à Rome, la première lettre que j'allai rendre fut celle de la marquise. Elle demeurait dans un beau palais près de la place Saint-Marc.

Je donnai ma lettre et ma carte à un domestique en livrée jaune qui m'introduisit dans un vaste salon, sombre et triste, assez mal meublé. Mais, dans tous les palais de Rome, il y a des tableaux de maîtres. Ce salon en contenait un assez grand nombre, dont plusieurs fort remarquables.

Je distinguai tout d'abord un portrait de femme qui me parut être un Léonard de Vinci. A la richesse du cadre, au chevalet de palissandre sur lequel il était posé, on ne pouvait douter que ce ne fût le morceau capital de la collection. Comme la marquise ne venait pas, j'eus tout le loisir de l'examiner. Je le portai même près d'une fenêtre afin de le voir sous un jour plus favorable. C'était évidemment un portrait, non une tête de fantaisie, car on n'invente pas de ces physionomies-là : une belle femme avec les lèvres un peu grosses, les sourcils presque joints, le regard altier et caressant tout à la fois. Dans le fond, on voyait son écusson, surmonté d'une couronne ducale. Mais ce qui me frappa le plus, c'est que le costume, à la poudre près, était le même que celui de la bacchante de mon père.

Je tenais encore le portrait à la main quand la marquise entra.

– Juste comme son père ! s'écria-t-elle en s'avançant vers moi. Ah ! les Français ! les Français ! A peine arrivé, et déjà il s'empare de *Madame Lucrèce*.

Je m'empressai de faire mes excuses pour mon indiscrétion, et je me jetai dans des éloges à perte de vue sur le chef-d'œuvre de Léonard que j'avais eu la témérité de déplacer.

– C'est en effet un Léonard, dit la marquise, et c'est le portrait de la trop fameuse Lucrèce Borgia. De tous mes tableaux, c'est celui que votre père admirait le plus... Mais, bon Dieu ! quelle ressemblance ! Je crois voir votre père comme il était il y a vingt-cinq ans. Comment se porte-t-il ? Que fait-il ? Ne viendra-t-il pas nous voir un jour à Rome ?

Bien que la marquise ne portât ni poudre ni peau de tigre, du premier coup d'œil, par la force de mon génie, je reconnus en elle la bacchante de mon père. Quelque vingt-cinq ans n'avaient pu faire disparaître entièrement les traces d'une grande beauté. Son expression avait changé seulement, comme sa toilette. Elle était tout en noir, et son triple menton, son sourire grave, son air solennel et radieux, m'avertissaient qu'elle était devenue dévote.

Elle me reçut, d'ailleurs, on ne peut plus affectueusement. En trois mots, elle m'offrit sa maison, sa bourse, ses amis, parmi lesquels elle me nomma plusieurs cardinaux.

– Regardez-moi, dit-elle, comme votre mère...

Elle baissa les yeux modestement.

– Votre père me charge de veiller sur vous et de vous donner des conseils.

Et, pour me prouver qu'elle n'entendait pas que sa mission fût une sinécure, elle commença sur l'heure par me mettre en garde contre les dangers que Rome pouvait offrir à un jeune homme de mon âge, et m'exhorta fort à les éviter. Je devais fuir les mauvaises compagnies, les artistes surtout, ne me lier qu'avec les personnes qu'elle me désignerait. Bref, j'eus un sermon en trois points. J'y répondis respectueusement avec l'hypocrisie convenable.

Comme je me levais pour prendre congé :

– Je regrette, me dit-elle, que mon fils le marquis soit en ce moment dans nos terres de la Romagne, mais je veux vous présenter mon second fils, don Ottavio, qui sera bientôt un monsignor. J'espère qu'il vous plaira et que vous deviendrez amis comme vous devez l'être...

Elle ajouta précipitamment :

– Car vous êtes à peu près du même âge, et c'est un garçon doux et rangé comme vous.

Aussitôt, elle envoya chercher don Ottavio. Je vis un grand jeune homme pâle, l'air mélancolique, toujours les yeux baissés, sentant déjà son cafard.

Sans lui laisser le temps de parler, la marquise me fit en son nom toutes les offres de service les plus aimables. Il confirmait par de grandes révérences toutes les phrases de sa mère, et il fut convenu que, dès le lendemain, il irait me prendre pour faire des courses par la ville et me ramènerait dîner en famille au palais Aldobrandi.

J'avais à peine fait une vingtaine de pas dans la rue, lorsque quelqu'un cria derrière moi d'une voix impérieuse :

– Où donc allez-vous ainsi seul à cette heure, don Ottavio ?

Je me retournai, et vis un gros abbé qui me considérait des pieds à la tête en écarquillant les yeux.

– Je ne suis pas don Ottavio, lui dis-je.

L'abbé, me saluant jusqu'à terre, se confondit en excuses, et, un moment après, je le vis entrer dans le palais Aldobrandi. Je poursuivis mon chemin, médiocrement flatté d'avoir été pris pour un monsignor en herbe.

Malgré les avertissements de la marquise, peut-être même à cause de ses avertissements, je n'eus rien de plus pressé que de découvrir la demeure d'un peintre de ma connaissance, et je passai une heure avec lui dans son atelier à causer des moyens d'amusements, licites ou non, que Rome pouvait me fournir. Je le mis sur le chapitre des Aldobrandi.

La marquise, me dit-il, après avoir été fort légère, s'était jetée dans la haute dévotion, quand elle eut reconnu que l'âge des conquêtes était passé pour elle. Son fils aîné était une brute qui passait son temps à chasser et à encaisser l'argent que lui apportaient les fermiers de ses vastes domaines. On était en train d'abrutir le second fils, don Ottavio, dont on voulait faire un jour un cardinal. En attendant, il était livré aux jésuites. Jamais il ne sortait seul. Défense de regarder une femme, ou de faire un pas sans avoir à ses talons un abbé qui l'avait élevé pour le service de Dieu, et qui, après avoir été le dernier *amico* de la marquise, gouvernait maintenant sa maison avec une autorité à peu près despotique.

Le lendemain, don Ottavio, suivi de l'abbé Negroni, le même qui, la veille, m'avait pris pour son pupille, vint me chercher en voiture et m'offrit ses services comme cicerone.

Le premier monument où nous nous arrêtâmes était une église. A l'exemple de son abbé, don Ottavio s'y agenouilla, se frappa la poitrine, et fit des signes de croix sans nombre. Après s'être relevé, il me montra les fresques et les statues, et m'en parla en homme de bon sens et de goût. Cela me surprit agréablement. Nous commençâmes à causer et sa conversation me plut. Pendant quelque temps, nous avions parlé italien. Tout à coup, il me dit en français :

– Mon gouverneur n'entend pas un mot de votre langue. Parlons français, nous serons plus libres.

On eût dit que le changement d'idiome avait transformé ce jeune homme. Rien dans ses discours ne sentait le prêtre. Je croyais entendre un de nos libéraux de province. Je remarquai qu'il débitait tout d'un même ton de voix monotone, et que souvent ce débit contrastait étrangement avec la vivacité de ses expressions. C'était une habitude prise apparemment pour dérouter le Negroni, qui, de temps à autre, se faisait expliquer ce que nous disions. Bien entendu que nos traductions étaient des plus libres.

Nous vîmes passer un jeune homme en bas violets.

– Voilà, me dit don Ottavio, nos patriciens d'aujourd'hui. Infâme livrée ! et ce sera la mienne dans quelques mois ! Quel bonheur, ajouta-t-il après un moment de silence, quel bonheur de vivre dans un pays comme le vôtre ! Si j'étais Français, peut-être un jour deviendrais-je député !

Cette noble ambition me donna une forte envie de rire, et, notre abbé s'en étant aperçu, je fus obligé de lui expliquer que nous parlions de l'erreur d'un archéologue qui prenait pour antique une statue de Bernin.

Nous revînmes dîner au palais Aldobrandi. Presque aussitôt après le café, la marquise me demanda pardon pour son fils, obligé, par certains devoirs pieux, à se retirer dans son appartement. Je demeurai seul avec elle et l'abbé Negroni, qui, renversé dans un grand fauteuil, dormait du sommeil du juste.

Cependant, la marquise m'interrogeait en détail sur mon père, sur Paris, sur ma vie passée, sur mes projets pour l'avenir. Elle me parut aimable et bonne, mais un peu trop curieuse et surtout trop préoccupée de mon salut. D'ailleurs, elle parlait admirablement l'italien, et je pris avec elle une bonne leçon de prononciation que je me promis bien de répéter.

Je revins souvent la voir. Presque tous les matins, j'allais visiter les antiquités avec son fils et l'éternel Negroni, et, le soir, je dînais avec eux au palais Aldobrandi. La marquise recevait peu de monde, et presque uniquement des ecclésiastiques.

Une fois cependant elle me présenta à une dame allemande, nouvelle convertie et son amie intime. C'était une madame de Strahlenheim, fort belle personne établie depuis longtemps à Rome. Pendant que ces dames causaient entre elles d'un prédicateur renommé, je considérais, à la clarté de la lampe, le portrait de Lucrèce, quand je crus devoir placer mon mot.

– Quels yeux ! m'écriai-je ; on dirait que ces paupières vont remuer !

A cette hyperbole un peu prétentieuse que je hasardais pour m'établir en qualité de connaisseur auprès de madame de Strahlenheim, elle tressaillit d'effroi et se cacha la figure dans son mouchoir.

– Qu'avez-vous, ma chère ? dit la marquise.

– Ah ! rien, mais ce que monsieur vient de dire !...

On la pressa de questions, et, une fois qu'elle nous eut dit que mon expression lui rappelait une histoire effrayante, elle fut obligée de la raconter.

La voici en deux mots :

Madame de Strahlenheim avait une belle-sœur nommée Wilhelmine, fiancée à un jeune homme de Westphalie, Julius de Katzenellenbogen, volontaire dans la division du général Kleist. Je suis bien fâché d'avoir à répéter tant de noms barbares, mais les histoires merveilleuses n'arrivent jamais qu'à des personnes dont les noms sont difficiles à prononcer.

Julius était un charmant garçon rempli de patriotisme et de métaphysique. En partant pour l'armée, il avait donné son portrait à Wilhelmine, et Wilhelmine lui avait donné le sien, qu'il portait toujours sur son cœur. Cela se fait beaucoup en Allemagne.

Le 13 septembre 1813, Wilhelmine était à Cassel, vers cinq heures du soir, dans un salon, occupée à tricoter avec sa mère et sa belle-sœur. Tout en travaillant, elle regardait le portrait de son fiancé, placé sur une petite table à ouvrage en face d'elle. Tout à coup, elle pousse un cri horrible, porte la main sur son cœur et s'évanouit. On eut toutes les peines du monde à lui faire reprendre connaissance, et, dès qu'elle put parler :

– Julius est mort ! s'écria-t-elle, Julius est tué !

Elle affirma, et l'horreur peinte sur tous ses traits prouvait assez sa conviction, qu'elle avait vu le portrait fermer les yeux et qu'au même instant elle avait senti une douleur atroce, comme si un fer rouge lui traversait le cœur.

Chacun s'efforça inutilement de lui démontrer que sa vision n'avait rien de réel et qu'elle n'y devait attacher aucune importance. La pauvre enfant était inconsolable ; elle passa la nuit dans les larmes, et, le lendemain, elle voulut s'habiller de deuil, comme assurée déjà du malheur qui lui avait été révélé.

Deux jours après, on reçut la nouvelle de la sanglante bataille de Leipzig. Julius écrivait à sa fiancée un billet daté du 13 à trois heures de l'après-midi. Il n'avait pas été blessé, s'était distingué et venait d'entrer à Leipzig, où il comptait passer la nuit avec le quartier général, éloigné par conséquent de tout danger. Cette lettre si rassurante ne put calmer Wilhelmine, qui, remarquant qu'elle était datée de trois heures, persistait à croire que son amant était mort à cinq.

L'infortunée ne se trompait pas. On sut bientôt que Julius, chargé de porter un ordre, était sorti de Leipzig à quatre heures et demie, et qu'à trois quarts de lieue de la ville, au-delà de l'Elster, un traînard de l'armée ennemie, embusqué dans un fossé, l'avait tué d'un coup de feu. La balle, en lui perçant le cœur, avait brisé le portrait de Wilhelmine.

– Et qu'est devenue cette pauvre jeune personne ? demandai-je à madame de Strahlenheim.

– Oh ! elle a été bien malade. Elle est mariée maintenant à M. le conseiller de justice de Werner, et, si vous alliez à Dessau, elle vous montrerait le portrait de Julius.

– Tout cela se fait par l'entremise du diable, dit l'abbé, qui n'avait dormi que d'un œil pendant l'histoire de madame de Strahlenheim. Celui qui faisait parler les oracles des païens peut bien faire mouvoir les yeux d'un portrait quand bon lui semble. Il n'y a pas vingt ans qu'à Tivoli, un Anglais a été étranglé par une statue.

– Par une statue ! m'écriai-je ; et comment cela ?

– C'était un milord qui avait fait des fouilles à Tivoli. Il avait trouvé une statue d'impératrice, Agrippine, Messaline..., peu importe. Tant il y a qu'il la fit porter chez lui, et qu'à force de la regarder et de l'admirer, il en devint fou. Tous ces messieurs protestants le sont déjà plus qu'à moitié. Il l'appelait sa femme, sa milady, et l'embrassait, tout de marbre qu'elle était. Il disait que la statue s'animait tous les soirs à son profit. Si bien qu'un matin on trouva mon milord roide mort dans son lit. Eh bien, le croiriez-vous ? Il s'est rencontré un autre Anglais pour acheter cette statue. Moi, j'en aurais fait faire de la chaux.

Quand on a entamé une fois le chapitre des aventures surnaturelles, on ne s'arrête plus. Chacun avait son histoire à raconter. Je fis ma partie moi-même dans ce concert de récits effroyables ; en sorte qu'au moment de nous séparer, nous étions tous passablement émus et pénétrés de respect pour le pouvoir du diable.

Je regagnai à pied mon logement, et, pour tomber dans la rue du Corso, je pris une petite ruelle tortueuse par où je n'étais point encore passé. Elle était déserte. On ne voyait que de longs murs de jardins, ou quelques chétives maisons dont pas une n'était éclairée. Minuit venait de sonner ; le temps était sombre. J'étais au milieu de la rue, marchant assez vite, quand j'entendis au-dessus de ma tête un petit bruit, un *st !* et, au même instant, une rose tomba à mes pieds. Je levai les yeux, et, malgré l'obscurité, j'aperçus une femme vêtue de blanc, à une fenêtre, le bras étendu vers moi. Nous autres, Français, nous sommes fort avantageux en pays étranger, et nos pères, vainqueurs de l'Europe, nous ont bercés de traditions flatteuses pour l'orgueil national. Je croyais pieusement à l'inflammabilité des dames allemandes, espagnoles et italiennes à la seule vue d'un Français. Bref, à cette époque, j'étais encore bien de mon pays, et, d'ailleurs, la rose ne parlait-elle pas clairement ?

– Madame, dis-je à voix basse, en ramassant la rose, vous avez laissé tomber votre bouquet...

Mais déjà la femme avait disparu, et la fenêtre s'était fermée sans faire le moindre bruit. Je fis ce que tout autre eût fait à ma place. Je cherchai la porte la plus proche ; elle était à deux pas de la fenêtre ; je la trouvai, et j'attendis qu'on vînt me l'ouvrir. Cinq minutes se passèrent dans un profond silence. Alors, je toussai, puis je grattai doucement ; mais la porte ne s'ouvrit pas. Je l'examinai avec plus d'attention, espérant trouver une clef ou un loquet ; à ma grande surprise, j'y trouvai un cadenas.

– Le jaloux n'est donc pas rentré, me dis-je.

Je ramassai une petite pierre et la jetai contre la fenêtre. Elle rencontra un contrevent de bois et retomba à mes pieds.

– Diable ! pensai-je, les dames romaines se figurent donc qu'on a des échelles dans sa poche ? On ne m'avait pas parlé de cette coutume.

J'attendis encore plusieurs minutes tout aussi inutilement. Seulement, il me sembla une ou deux fois voir trembler légèrement le volet, comme si de l'intérieur on eût voulu l'écarter, pour voir dans la rue. Au bout d'un quart d'heure, ma patience étant à bout, j'allumai un cigare, et je poursuivis mon chemin, non sans avoir bien reconnu la situation de la maison au cadenas.

Le lendemain, en réfléchissant à cette aventure, je m'arrêtai aux conclusions suivantes : Une jeune dame romaine, probablement d'une grande beauté, m'avait aperçu dans mes courses par la ville, et s'était éprise de mes faibles attraits. Si elle ne m'avait déclaré sa flamme que par le don d'une fleur mystérieuse, c'est qu'une honnête pudeur l'avait retenue, ou bien qu'elle avait été dérangée par la présence de quelque duègne, peut-être par un maudit tuteur comme le Bartolo de Rosine. Je résolus d'établir un siège en règle devant la maison habitée par cette infante.

Dans ce beau dessein, je sortis de chez moi après avoir donné à mes cheveux un coup de brosse conquérant. J'avais mis ma redingote neuve et des gants jaunes. En ce costume, le chapeau sur l'oreille, la rose fanée à la boutonnière, je me dirigeai vers la rue dont je ne savais pas encore le nom, mais que je n'eus pas de peine à découvrir. Un écriteau au-dessus d'une madone m'apprit qu'on l'appelait *il viccolo di Madama Lucrezia*.

Ce nom m'étonna. Aussitôt, je me rappelai le portrait de Léonard de Vinci, et les histoires de pressentiments et de diableries que, la veille, on avait racontées chez la marquise. Puis je pensai qu'il y avait des amours prédestinées dans le ciel. Pourquoi mon objet ne s'appellerait-il pas Lucrèce ? Pourquoi ne ressemblerait-il pas à la Lucrèce de la galerie Aldobrandi ?

Il faisait jour, j'étais à deux pas d'une charmante personne et nulle pensée sinistre n'avait part à l'émotion que j'éprouvais.

J'étais devant la maison. Elle portait le n° 13. Mauvais augure... Hélas ! elle ne répondait guère à l'idée que je m'en étais faite pour l'avoir vue la nuit. Ce n'était pas un palais, tant s'en faut. Je voyais un enclos de murs noircis par le temps et couverts de mousse, derrière lesquels passaient les branches de quelques arbres à fruits mal échenillés. Dans un angle de l'enclos s'élevait un pavillon à un seul étage, ayant deux fenêtres sur la rue, toutes les deux fermées par de vieux contrevents garnis à l'extérieur de nombreuses bandes de fer. La porte était basse, surmontée d'un écusson effacé, fermée comme la veille d'un gros cadenas attaché d'une chaîne. Sur cette porte on lisait, écrit à la craie : *Maison à vendre ou à louer*.

Pourtant, je ne m'étais pas trompé. De ce côté de la rue, les maisons étaient assez rares pour que toute confusion fût impossible. C'était bien mon cadenas, et, qui plus est, deux feuilles de rose sur le pavé, près de la porte, indiquaient le lieu précis où j'avais reçu la déclaration par signes de ma bien-aimée, et prouvaient qu'on ne balayait guère le devant de sa maison.

Je m'adressai à quelques pauvres gens du voisinage pour savoir où logeait le gardien de cette mystérieuse demeure.

– Ce n'est pas ici, me répondait-on brusquement.

Il semblait que ma question déplût à ceux que j'interrogeais et cela piquait d'autant plus ma curiosité. Allant de porte en porte, je finis par entrer dans une espèce de cave obscure, où se tenait une vieille femme qu'on pouvait soupçonner de sorcellerie, car elle avait un chat noir et faisait cuire je ne sais quoi dans une chaudière.

– Vous voulez voir la maison de madame Lucrèce ? dit-elle. C'est moi qui en ai la clef.

– Eh bien, montrez-la-moi.

– Est-ce que vous voudriez la louer ? demanda-t-elle en souriant d'un air de doute.

– Oui, si elle me convient.

– Elle ne vous conviendra pas. Mais, voyons, me donnerez-vous un paul si je vous la montre ?

– Très volontiers.

Sur cette assurance, elle se leva prestement de son escabeau, décrocha de la muraille une clef toute rouillée et me conduisit devant le n° 13.

– Pourquoi, lui dis-je, appelle-t-on cette maison, la maison de Lucrèce ?

Alors, la vieille en ricanant :

– Pourquoi, dit-elle, vous appelle-t-on étranger ? N'est-ce pas parce que vous êtes étranger ?

– Bien ; mais qui était cette madame Lucrèce ? Etait-ce une dame de Rome ?

– Comment ! vous venez à Rome, et vous n'avez pas entendu parler de madame Lucrèce ! Quand nous serons entrés, je vous conterai son histoire. Mais voici bien une autre diablerie ! Je ne sais ce qu'a cette clef, elle ne tourne pas. Essayez vous-même.

En effet le cadenas et la clef ne s'étaient pas vus depuis longtemps. Pourtant, au moyen de trois jurons et d'autant de grincements de dents, je parvins à faire tourner la clef ; mais je déchirai mes gants jaunes et me disloquai la paume de la main. Nous entrâmes dans un passage obscur qui donnait accès à plusieurs salles basses.

Les plafonds, curieusement lambrissés, étaient couverts de toiles d'araignée, sous lesquelles on distinguait à peine quelques traces de dorure. A l'odeur de moisi qui s'exhalait de toutes les pièces, il était évident que, depuis longtemps, elles étaient inhabitées. On n'y voyait pas un seul meuble. Quelques lambeaux de vieux cuir pendaient le long des murs salpêtrés. D'après les sculptures de quelques consoles et la forme des cheminées, je conclus que la maison datait du XVe siècle, et il est probable qu'autrefois elle avait été décorée avec quelque élégance. Les fenêtres, à petits carreaux, la plupart brisés, donnaient sur le jardin, où j'aperçus un rosier en fleur, avec quelques arbres fruitiers et quantité de broccoli.

Après avoir parcouru toutes les pièces du rez-de-chaussée, je montai à l'étage supérieur, où j'avais vu mon inconnue. La vieille essaya de me retenir, en me disant qu'il n'y avait rien à voir et que l'escalier était fort mauvais. Me voyant entêté, elle me suivit, mais avec une répugnance marquée. Les chambres de cet étage ressemblaient fort aux autres ; seulement, elles étaient moins humides ; le plancher et les fenêtres étaient aussi en meilleur état. Dans la dernière pièce où j'entrai, il y avait un large fauteuil en cuir noir, qui, chose étrange, n'était pas couvert de poussière. Je m'y assis, et, le trouvant commode pour écouter une histoire, je priai la vieille de me raconter celle de madame Lucrèce ; mais auparavant, pour lui rafraîchir la mémoire, je lui fis présent de quelques pauls. Elle toussa, se moucha et commença de la sorte :

– Du temps des païens, Alexandre était empereur, il avait une fille belle comme le jour, qu'on appelait madame Lucrèce. Tenez la voilà !...

Je me retournai vivement. La vieille me montrait une console sculptée qui soutenait la maîtresse poutre de la salle. C'était une sirène fort grossièrement exécutée.

– Dame, reprit la vieille, elle aimait à s'amuser. Et, comme son père aurait pu y trouver à redire, elle s'était fait bâtir cette maison où nous sommes.

« Toutes les nuits, elle descendait du Quirinal et venait ici pour se divertir. Elle se mettait à cette fenêtre, et, quand il passait par la rue un beau cavalier comme vous voilà, monsieur, elle l'appelait ; s'il était bien reçu, je vous le laisse à penser. Mais les hommes sont babillards, au moins quelques-uns, et ils auraient pu lui faire du tort en jasant. Aussi y mettait-elle bon ordre. Quand elle avait dit adieu au galant, ses estafiers se tenaient dans l'escalier par où nous sommes montés. Ils vous le dépêchaient, puis vous l'enterraient dans ces carrés de broccoli. Allez ! on y en a trouvé des ossements, dans ce jardin !

« Ce manège-là dura bien quelque temps. Mais voilà qu'un soir son frère, qui s'appelait Sisto Tarquino, passe sous sa fenêtre. Elle ne le reconnaît pas. Elle l'appelle. Il monte. La nuit tous chats sont gris. Il en fut de celui-là comme des autres. Mais il avait oublié son mouchoir, sur lequel il y avait son nom écrit.

« Elle n'eut pas plus tôt vu la méchanceté qu'ils avaient faite, que le désespoir la prend. Elle défait vite sa jarretière et se pend à cette solive-là. Eh bien, en voilà un exemple pour la jeunesse ! »

Pendant que la vieille confondait ainsi tous les temps, mêlant les Tarquins aux Borgias, j'avais les yeux fixés sur le plancher. Je venais d'y découvrir quelques pétales de rose encore frais, qui me donnaient fort à penser.

– Qui est-ce qui cultive ce jardin ? demandai-je à la vieille.

– C'est mon fils, monsieur, le jardinier de M. Vanozzi, celui à qui est le jardin d'à côté. M. Vanozzi est toujours dans la Maremme ; il ne vient guère à Rome. Voilà pourquoi le jardin n'est pas très bien entretenu. Mon fils est avec lui. Et je crains bien qu'ils ne reviennent pas de sitôt, ajouta-t-elle en soupirant.

– Il est donc fort occupé avec M. Vanozzi ?

– Ah ! c'est un drôle d'homme qui l'occupe à trop de choses... Je crains qu'il ne se passe de mauvaises affaires... Ah ! mon pauvre fils !

Elle fit un pas vers la porte comme pour rompre la conversation.

– Personne n'habite donc ici ? repris-je en l'arrêtant.

– Personne au monde.

– Et pourquoi cela ?

Elle haussa les épaules.

– Ecoutez, lui dis-je en lui présentant une piastre, dites-moi la vérité. Il y a une femme qui vient ici.

– Une femme, divin Jésus !

– Oui, je l'ai vue hier au soir. Je lui ai parlé.

– Sainte Madone ! s'écria la vieille en se précipitant vers l'escalier. C'était donc madame Lucrèce ? Sortons, sortons, mon bon monsieur ! On m'avait bien dit qu'elle revenait la nuit, mais je n'ai pas voulu vous le dire, pour ne pas faire de tort au propriétaire, parce que je croyais que vous aviez envie de louer.

Il me fut impossible de la retenir. Elle avait hâte de quitter la maison, pressée, disait-elle, d'aller porter un cierge à la plus proche église.

Je sortis moi-même et la laissai aller, désespérant d'en apprendre davantage.

On devine bien que je ne contai pas mon histoire au palais Aldobrandi : la marquise était trop prude, don Ottavio trop exclusivement occupé de politique pour être de bon conseil dans une amourette. Mais j'allai trouver mon peintre, qui connaissait tout à Rome, depuis le cèdre jusqu'à l'hysope, et je lui demandai ce qu'il en pensait.

– Je pense, dit-il, que vous avez vu le spectre de Lucrèce Borgia. Quel danger vous avez couru ! si dangereuse de son vivant, jugez un peu ce qu'elle doit être maintenant qu'elle est morte ! Cela fait trembler.

– Plaisanterie à part, qu'est-ce que cela peut être ?

– C'est-à-dire que monsieur est athée et philosophe et ne croit pas aux choses les plus respectables. Fort bien ; alors, que dites-vous de cette autre hypothèse ? Supposons que la vieille prête sa maison à des femmes capables d'appeler les gens qui passent dans la rue. On a vu des vieilles assez dépravées pour faire ce métier-là.

– A merveille, dis-je ; mais j'ai donc l'air d'un saint pour que la vieille ne m'ait pas fait d'offres de services. Cela m'offense. Et puis, mon cher, rappelez-vous l'ameublement de la maison. Il faudrait avoir le diable au corps pour s'en contenter.

– Alors, c'est un revenant à n'en plus douter. Attendez donc ! encore une dernière hypothèse. Vous vous serez trompé de maison. Parbleu ! j'y pense : près d'un jardin ! petite porte basse ?... Eh bien, c'est ma grande amie la Rosina. Il n'y a pas dix-huit mois qu'elle faisait l'ornement de cette rue. Il est vrai qu'elle est devenue borgne, mais c'est un détail... Elle a encore un très beau profil.

Toutes ces explications ne me satisfaisaient point. Le soir venu, je passai lentement devant la maison de Lucrèce. Je ne vis rien. Je repassai, pas davantage. Trois ou quatre soirs de suite, je fis le pied de grue sous ses fenêtres en revenant du palais Aldobrandi, toujours sans succès. Je commençais à oublier l'habitante mystérieuse de la maison n° 13, lorsque, passant vers minuit dans le viccolo, j'entendis distinctement un petit rire de femme derrière le volet de la fenêtre, où la donneuse de bouquets m'était apparue. Deux fois j'entendis ce petit rire, et je ne pus me défendre d'une certaine terreur, quand, en même temps, je vis déboucher à l'autre extrémité de la rue une troupe de pénitents encapuchonnés, des cierges à la main, qui portaient un mort en terre. Lorsqu'ils furent passés, je m'établis en faction sous la fenêtre, mais alors je n'entendis plus rien. J'essayai de jeter des cailloux, j'appelai même plus ou moins distinctement ; personne ne parut, et une averse qui survint m'obligea de faire retraite.

J'ai honte de dire combien de fois je m'arrêtai devant cette maudite maison sans pouvoir parvenir à résoudre l'énigme qui me tourmentait. Une seule fois je passai dans le viccolo di Madama Lucrezia avec don Ottavio et son inévitable abbé.

– Voilà, dis-je, la maison de Lucrèce.

Je le vis changer de couleur.

– Oui, répondit-il, une tradition populaire, fort incertaine, veut que Lucrèce Borgia ait eu ici sa petite maison. Si ces murs pouvaient parler, que d'horreurs ils nous révéleraient ! Pourtant, mon ami, quand je compare ce temps avec le nôtre, je me prends à le regretter. Sous Alexandre VI, il y avait encore des Romains. Il n'y en a plus. César Borgia était un monstre mais un grand homme. Il voulait chasser les barbares de l'Italie, et peut-être, si son père eût vécu, eût-il accompli ce grand dessein. Ah ! que le ciel nous donne un tyran comme Borgia et qu'il nous délivre de ces despotes humains qui nous abrutissent !

Quand don Ottavio se lançait dans les régions politiques, il était impossible de l'arrêter. Nous étions à la place du Peuple que son panégyrique du despotisme éclairé n'était pas à sa fin. Mais nous étions à cent lieues de ma Lucrèce à moi.

Certain soir que j'étais allé fort tard rendre mes devoirs à la marquise, elle me dit que son fils était indisposé et me pria de monter dans sa chambre. Je le trouvai couché sur son lit tout habillé, lisant un journal français que je lui avais envoyé le matin soigneusement caché dans un volume des Pères de l'Eglise. Depuis quelque temps, la collection des saints Pères nous servait à ces communications qu'il fallait cacher à l'abbé et à la marquise. Les jours de courrier de France, on m'apportait un in-folio. J'en rendais un autre dans lequel je glissais un journal, que me prêtaient les secrétaires de l'ambassade. Cela donnait une haute idée de ma piété à la marquise et à son directeur, qui parfois voulait me faire parler théologie.

Après avoir causé quelque temps avec don Ottavio, remarquant qu'il était fort agité et que la politique même ne pouvait captiver son attention, je lui recommandai de se déshabiller et je lui dis adieu. Il faisait froid et je n'avais pas de manteau. Don Ottavio me pressa de prendre le sien ; je l'acceptai et me fis donner une leçon dans l'art difficile de se draper en vrai Romain.

Emmitouflé jusqu'au nez, je sortis du palais Aldobrandi. A peine avais-je fait quelques pas sur le trottoir de la place Saint-Marc, qu'un homme du peuple que j'avais remarqué, assis sur un banc à la porte du palais, s'approcha de moi et me tendit un papier chiffonné.

– Pour l'amour de Dieu, dit-il, lisez ceci.

Aussitôt, il disparut en courant à toutes jambes.

J'avais pris le papier et je cherchais de la lumière pour le lire. A la lueur d'une lampe allumée devant une madone, je vis que c'était un billet écrit au crayon et, comme il semblait, d'une main tremblante. Je déchiffrai avec beaucoup de peine les mots suivants :

« Ne viens pas ce soir, ou nous sommes perdus ! On sait tout, excepté ton nom, rien ne pourra nous séparer. »

TA LUCRÈCE.

– Lucrèce ! m'écriai-je, encore Lucrèce ! quelle diable de mystification y a-t-il au fond de tout cela ? « Ne viens pas. » Mais, ma belle, quel chemin prend-on pour aller chez vous ?

Tout en ruminant sur le compte de ce billet, je prenais machinalement le chemin du viccolo di Madama Lucrezia, et bientôt je me trouvai en face de la maison n° 13.

La rue était aussi déserte que de coutume, et le bruit seul de mes pas troublait le silence profond qui régnait dans le voisinage. Je m'arrêtai et levai les yeux vers une fenêtre bien connue. Pour le coup, je ne me trompais pas. Le contrevent s'écartait.

Voilà la fenêtre toute grande ouverte.

Je crus voir une forme humaine qui se détachait sur le fond noir de la chambre.

– Lucrèce, est-ce vous ? dis-je à voix basse.

On ne me répondit pas, mais j'entendis un petit claquement, dont je ne compris pas d'abord la cause.

– Lucrèce, est-ce vous ? repris-je un peu plus haut.

Au même instant, je reçus un coup terrible dans la poitrine, une détonation se fit entendre, et je me trouvai étendu sur le pavé.

Une voix rauque me cria :

– De la part de la signora Lucrèce !

Et le contrevent se referma sans bruit.

Je me relevai aussitôt en chancelant, et d'abord je me tâtai, croyant me trouver un grand trou au milieu de l'estomac. Le manteau était troué, mon habit aussi, mais la balle avait été amortie par les plis du drap, et j'en étais quitte pour une forte contusion.

L'idée me vint qu'un second coup pouvait bien ne pas

se faire attendre, et je me traînai aussitôt du côté de cette maison inhospitalière, rasant les murs de façon qu'on ne pût me viser.

Je m'éloignais le plus vite que je pouvais, tout haletant encore, lorsqu'un homme que je n'avais pas remarqué derrière moi me prit le bras et me demanda avec intérêt si j'étais blessé.

A la voix, je reconnus don Ottavio. Ce n'était pas le moment de lui faire des questions, quelque surpris que je fusse de le voir seul et dans la rue à cette heure de la nuit. En deux mots, je lui dis qu'on venait de me tirer un coup de feu de telle fenêtre et que je n'avais qu'une contusion.

– C'est une méprise ! s'écria-t-il. Mais j'entends venir du monde. Pouvez-vous marcher ? Je serais perdu si l'on nous trouvait ensemble. Cependant, je ne vous abandonnerai pas.

Il me prit le bras et m'entraîna rapidement. Nous marchâmes ou plutôt nous courûmes tant que je pus aller ; mais bientôt force me fut de m'asseoir sur une borne pour reprendre haleine.

Heureusement, nous nous trouvions alors à peu de distance d'une grande maison où l'on donnait un bal. Il y avait quantité de voitures devant la porte. Don Ottavio alla en chercher une, me fit monter dedans et me reconduisit à mon hôtel. Un grand verre d'eau que je bus m'ayant tout à fait remis, je lui racontai en détail tout ce qui m'était arrivé devant cette maison fatale, depuis le présent d'une rose jusqu'à celui d'une balle de plomb.

Il m'écoutait la tête baissée, à moitié cachée dans une de ses mains. Lorsque je lui montrai le billet que je venais de recevoir, il s'en saisit, le lut avec avidité et s'écria encore :

– C'est une méprise ! une horrible méprise !

– Vous conviendrez, mon cher, lui dis-je, qu'elle est fort désagréable pour moi et pour vous aussi. On manque de me tuer, et l'on vous fait dix ou douze trous dans votre beau manteau. Tudieu, quels jaloux que vos compatriotes !

Don Ottavio me serrait les mains d'un air désolé, et relisait le billet sans me répondre.

– Tâchez donc, lui dis-je, de me donner quelque explication de toute cette affaire. Le diable m'emporte si j'y comprends goutte.

Il haussa les épaules.

– Au moins, repris-je, que dois-je faire ? A qui dois-je m'adresser, dans votre sainte ville, pour avoir justice de ce monsieur, qui canarde les passants sans leur demander seulement comment ils se nomment. Je vous avoue que je serais charmé de le faire pendre.

– Gardez-vous-en bien ! s'écria-t-il. Vous ne connaissez pas ce pays-ci. Ne dites mot à personne de ce qui vous est arrivé. Vous vous exposeriez beaucoup.

– Comment, je m'exposerais ? Morbleu ! je prétends bien avoir ma revanche. Si j'avais offensé le maroufle, je ne dis pas ; mais, pour avoir ramassé une rose,... en conscience, je ne méritais pas une balle.

– Laissez-moi faire, dit don Ottavio ; peut-être parviendrai-je à éclaircir ce mystère. Mais je vous le demande comme une grâce, comme une preuve signalée de votre amitié pour moi, ne parlez de cela à personne au monde. Me le promettez-vous ?

Il avait l'air si triste en me suppliant, que je n'eus pas le courage de résister, et je lui promis tout ce qu'il voulut. Il me remercia avec effusion, et, après m'avoir appliqué lui-même une compresse d'eau de Cologne sur la poitrine, il me serra la main et me dit adieu.

– A propos, lui demandai-je comme il ouvrait la porte pour sortir, expliquez-moi donc comment vous vous êtes trouvé là, juste à point pour me venir en aide ?

– J'ai entendu le coup de fusil, répondit-il, non sans

quelque embarras, et je suis sorti aussitôt, craignant pour vous quelque malheur.

Il me quitta précipitamment, après m'avoir de nouveau recommandé le secret.

Le matin, un chirurgien, envoyé sans doute par don Ottavio, vint me visiter. Il me prescrivit un cataplasme, mais ne fit aucune question sur la cause qui avait mêlé des violettes aux lis de mon sein. On est discret à Rome et je voulus me conformer à l'usage du pays.

Quelques jours se passèrent sans que je pusse causer librement avec don Ottavio. Il était préoccupé, encore plus sombre que de coutume, et, d'ailleurs, il me paraissait chercher à éviter mes questions. Pendant les rares moments que je passai avec lui, il ne dit pas un mot sur les hôtes étranges du viccolo di Madama Lucrezia. L'époque fixée pour la cérémonie de son ordination approchait, et j'attribuai sa mélancolie à sa répugnance pour la profession qu'on l'obligeait d'embrasser.

Pour moi, je me préparais à quitter Rome pour aller à Florence. Lorsque j'annonçai mon départ à la marquise Aldobrandi, don Ottavio me pria, sous je ne sais quel prétexte, de monter dans sa chambre.

Là, me prenant les deux mains :

– Mon cher ami, dit-il, si vous ne m'accordez la grâce que je vais vous demander, je me brûlerai certainement la cervelle, car je n'ai pas d'autre moyen de sortir d'embarras. Je suis parfaitement résolu à ne jamais endosser le vilain habit que l'on veut me faire porter. Je veux fuir de ce pays-ci. Ce que j'ai à vous demander, c'est de m'emmener avec vous. Vous me ferez passer pour votre domestique. Il suffira d'un mot ajouté à votre passeport pour faciliter ma fuite.

J'essayai d'abord de le détourner de son dessein en lui parlant du chagrin qu'il allait causer à sa mère ; mais, le trouvant inébranlable dans sa résolution, je finis par lui promettre de le prendre avec moi, et de faire arranger mon passeport en conséquence.

– Ce n'est pas tout, dit-il. Mon départ dépend encore du succès d'une entreprise où je suis engagé. Vous voulez partir après-demain. Après-demain, j'aurai réussi peut-être, et alors, je suis tout à vous.

– Seriez-vous assez fou, lui demandai-je, non sans inquiétude, pour vous être fourré dans quelque conspiration ?

– Non, répondit-il ; il s'agit d'intérêts moins graves que le sort de ma patrie, assez graves pourtant pour que du succès de mon entreprise dépendent ma vie et mon bonheur. Je ne puis vous en dire davantage maintenant. Dans deux jours, vous saurez tout.

Je commençais à m'habituer au mystère, et je me résignai. Il fut convenu que nous partirions à trois heures du matin et que nous ne nous arrêterions qu'après avoir gagné le territoire toscan.

Persuadé qu'il était inutile de me coucher, devant partir de si bonne heure, j'employai la dernière soirée que je devais passer à Rome à faire des visites dans toutes les maisons où j'avais été reçu. J'allai prendre congé de la marquise, et serrer la main à son fils officiellement et pour la forme. Je sentis qu'elle tremblait dans la mienne. Il me dit tout bas :

– En cet instant, ma vie se joue à croix ou pile. Vous trouverez en rentrant à votre hôtel une lettre de moi. Si à trois heures précises je ne suis pas auprès de vous, ne m'attendez pas.

L'altération de ses traits me frappa ; mais je l'attribuai à une émotion bien naturelle de sa part, au moment où, pour toujours peut-être, il allait se séparer de sa famille.

Vers une heure à peu près, je regagnai mon logement. Je voulus repasser encore une fois par le viccolo di Madama Lucrezia. Quelque chose de blanc pendait à la fenêtre où j'avais vu deux apparitions si différentes. Je m'approchai avec précaution. C'était une corde à nœuds. Etait-ce une invitation d'aller prendre congé de la signora ? Cela en avait tout l'air, et la tentation était forte. Je n'y cédai point pourtant, me rappelant la promesse faite à don Ottavio, et aussi, il faut bien le dire, la réception désagréable que m'avait attirée, quelques jours auparavant, une témérité beaucoup moins grande.

Je poursuivis mon chemin, mais lentement, désolé de perdre la dernière occasion de pénétrer les mystères de la maison n° 13. A chaque pas que je faisais, je tournais la tête, m'attendant toujours à voir quelque forme humaine monter ou descendre le long de la corde. Rien ne paraissait. J'atteignis enfin l'extrémité du viccolo ; j'allais entrer dans le Corso.

– Adieu, madame Lucrèce, dis-je en ôtant mon chapeau à la maison que j'apercevais encore. Cherchez, s'il vous plaît, quelque autre que moi pour vous venger du jaloux qui vous tient emprisonnée.

Deux heures sonnaient quand je rentrai dans mon hôtel. La voiture était dans la cour, toute chargée. Un des garçons de l'hôtel me remit une lettre. C'était celle de don Ottavio, et, comme elle me parut longue, je pensai qu'il valait mieux la lire dans ma chambre, et je dis au garçon de m'éclairer.

– Monsieur, me dit-il, votre domestique que vous nous aviez annoncé, celui qui doit voyager avec monsieur...

– Eh bien, est-il venu ?

– Non, monsieur...

– Il est à la poste ; il viendra avec les chevaux.

– Monsieur, il est venu tout à l'heure une dame qui a demandé à parler au domestique de monsieur. Elle a voulu absolument monter chez monsieur et m'a chargé de dire au domestique de monsieur, aussitôt qu'il viendrait, que madame Lucrèce était dans votre chambre.

– Dans ma chambre ? m'écriai-je en serrant avec force la rampe de l'escalier.

– Oui, monsieur. Et il paraît qu'elle part aussi, car elle m'a donné un petit paquet ; je l'ai mis sur la vache.

Le cœur me battait fortement. Je ne sais quel mélange de terreur superstitieuse et de curiosité s'était emparé de moi. Je montai l'escalier marche à marche. Arrivé au premier étage (je demeurais au second), le garçon qui me précédait fit un faux pas, et la bougie qu'il tenait à la main tomba et s'éteignit. Il me demanda un million d'excuses, et descendit pour la rallumer. Cependant, je montais toujours.

Déjà j'avais la main sur la clef de ma chambre. J'hésitais. Quelle nouvelle vision allait s'offrir à moi ? Plus d'une fois, dans l'obscurité, l'histoire de la nonne sanglante m'était revenue à la mémoire. Etais-je possédé d'un démon comme don Alonso ? Il me sembla que le garçon tardait horriblement.

J'ouvris ma porte. Grâce au ciel ! il y avait de la lumière dans ma chambre à coucher. Je traversai rapidement le petit salon qui la précédait. Un coup d'œil suffit pour me prouver qu'il n'y avait personne dans ma chambre à coucher. Mais aussitôt j'entendis derrière moi des pas légers et le frôlement d'une robe. Je crois que mes cheveux se hérissaient sur ma tête. Je me retournai brusquement.

Une femme vêtue de blanc, la tête couverte d'une mantille noire, s'avançait les bras étendus.

– Te voilà donc enfin, mon bien-aimé ! s'écria-t-elle en saisissant ma main.

La sienne était froide comme la glace, et ses traits avaient la pâleur de la mort. Je reculai jusqu'au mur.

– Sainte Madone, ce n'est pas lui !... Ah ! monsieur, êtes-vous l'ami de don Ottavio ?

A ce mot, tout fut expliqué. La jeune femme, malgré sa pâleur, n'avait nullement l'air d'un spectre. Elle baissait les yeux, ce que ne font jamais les revenants, et tenait ses deux mains croisées à hauteur de sa ceinture, attitude modeste, qui me fit croire que mon ami don Ottavio n'était pas un aussi grand politique que je me l'étais figuré. Bref, il était grand temps d'enlever Lucrèce, et, malheureusement, le rôle de confident était le seul qui me fût destiné dans cette aventure.

Un moment après arriva don Ottavio déguisé. Les chevaux vinrent et nous partîmes. Lucrèce n'avait pas de passeport, mais une femme, et une jolie femme, n'inspire guère de soupçons. Un gendarme cependant fit le difficile. Je lui dis qu'il était un brave, et qu'assurément il avait servi sous le grand Napoléon. Il en convint. Je lui fis présent d'un portrait de ce grand homme, en or, et je lui dis que mon habitude était de voyager avec une *amica* pour me tenir compagnie ; et que, attendu que j'en changeais fort souvent, je croyais inutile de les faire mettre sur mon passeport.

– Celle-ci, ajoutai-je, me mène à la ville prochaine. On m'a dit que j'en trouverais là d'autres qui la vaudraient.

– Vous auriez tort d'en changer, me dit le gendarme en fermant respectueusement la portière.

S'il faut tout vous dire, madame, ce traître de don Ottavio avait fait la connaissance de cette aimable personne, sœur d'un certain Vanozzi, riche cultivateur, mal noté comme un peu libéral et très contrebandier. Don Ottavio savait bien que, quand même sa famille ne l'eût pas destiné à l'Eglise, elle n'aurait jamais consenti à lui laisser épouser une fille d'une condition si fort au-dessous de la sienne.

Amour est inventif. L'élève de l'abbé Negroni parvint à établir une correspondance secrète avec sa bien-aimée. Toutes les nuits, il s'échappait du palais Aldobrandi, et, comme il eût été peu sûr d'escalader la maison de Vanozzi, les deux amants se donnaient rendez-vous dans celle de madame Lucrèce, dont la mauvaise réputation les protégeait. Une petite porte cachée par un figuier mettait les deux jardins en communication. Jeunes et amoureux, Lucrèce et Ottavio ne se plaignaient pas de l'insuffisance de leur ameublement, qui se réduisait, je crois l'avoir déjà dit, à un vieux fauteuil de cuir.

Un soir, attendant don Ottavio, Lucrèce me prit pour lui, et me fit le cadeau que j'ai rapporté en son lieu. Il est vrai qu'il y avait quelque ressemblance de taille et de tournure entre don Ottavio et moi, et quelques médisants qui avaient connu mon père à Rome, prétendaient qu'il y avait des raisons pour cela. Avint que le maudit frère découvrit l'intrigue ; mais ses menaces ne purent obliger Lucrèce à révéler le nom de son séducteur. On sait quelle fut sa vengeance et comment je pensai payer pour tous. Il est inutile de vous dire comment les deux amants, chacun de son côté, prirent la clef des champs.

Conclusion. – Nous arrivâmes tous les trois à Florence. Don Ottavio épousa Lucrèce, et partit aussitôt avec elle pour Paris. Mon père lui fit le même accueil que j'avais reçu de la marquise. Il se chargea de négocier sa réconciliation, et il y parvint non sans quelque peine. Le marquis Aldobrandi gagna fort à propos la fièvre des Maremmes, dont il mourut. Ottavio a hérité de son titre et de sa fortune, et je suis le parrain de son premier enfant.

27 avril 1846

LA PERLE DE TOLÈDE

Imité de l'espagnol

Qui me dira si le soleil est plus beau à son lever qu'à son coucher ? Qui me dira de l'olivier ou de l'amandier lequel est le plus beau des arbres ? Qui me dira qui du Valencien ou de l'Andalou est le plus brave ? Qui me dira quelle est la plus belle des femmes ? « Je vous dirai quelle est la plus belle des femmes : c'est Aurore de Vargas, la perle de Tolède. »

Le Noir Tuzani a demandé sa lance, il a demandé son bouclier : sa lance, il la tient de sa main droite ; son bouclier pend à son cou. Il descend dans son écurie, et considère ses quarante juments l'une après l'autre. Il dit : « Berja est la plus vigoureuse ; sur sa large croupe j'emporterai la perle de Tolède, ou, par Allah ! Cordoue ne me reverra jamais. »

Il part, il chevauche, il arrive à Tolède, et il rencontre un vieillard près du Zacatin. « Vieillard à la barbe blanche, porte cette lettre à don Guttiere, à don Guttiere de Saldaña. S'il est homme, il viendra combattre contre moi près de la fontaine d'Almami. La perle de Tolède doit appartenir à l'un de nous. »

Et le vieillard a pris la lettre, il l'a prise et l'a portée au comte de Saldaña, comme il jouait aux échecs avec la perle de Tolède. Le comte a lu la lettre, il a lu le cartel, et de sa main il a frappé la table si fort que toutes les pièces en sont tombées. Et il se lève et demande sa lance et son bon cheval ; et la perle s'est levée aussi toute tremblante, car elle a compris qu'il allait à un duel.

« Seigneur Guttiere, don Guttiere de Saldaña, restez, je vous prie, et jouez encore avec moi. – Je ne jouerai pas davantage aux échecs ; je veux jouer au jeu des lances à la fontaine d'Almami. » Et les pleurs d'Aurore ne purent l'arrêter ; car rien n'arrête un cavalier qui se rend à un duel. Alors la perle de Tolède a pris son manteau, et, montée sur sa mule, s'en est allée à la fontaine d'Almami.

Autour de la fontaine le gazon est rouge. Rouge aussi l'eau de la fontaine ; mais ce n'est point le sang d'un chrétien qui rougit le gazon, qui rougit l'eau de la fontaine. Le Noir Tuzani est couché sur le dos ; la lance de don Guttiere s'est brisée dans sa poitrine ; tout son sang se perd peu à peu. Sa jument Berja le regarde en pleurant, car elle ne peut guérir la blessure de son maître.

La perle descend de sa mule : « Cavalier, ayez bon courage ; vous vivrez encore pour épouser une belle Moresque ; ma main sait guérir les blessures que fait mon chevalier. – Ô perle si blanche, ô perle si belle, arrache de mon sein ce tronçon de lance qui le déchire : le froid de l'acier me glace et me transit. » Elle s'est approchée sans défiance ; mais il a ranimé ses forces, et du tranchant de son sabre il balafre ce visage si beau.

FEDERIGO[1]

Il y avait une fois un jeune seigneur nommé Federigo, beau, bien fait, courtois et débonnaire, mais de mœurs fort dissolues, car il aimait avec excès le jeu, le vin et les femmes, surtout le jeu ; n'allait jamais à confesse, et ne hantait les églises que pour y chercher des occasions de péché. Or, il advint que Federigo, après avoir ruiné au jeu douze fils de famille (qui se firent ensuite malandrins et périrent sans confession dans un combat acharné avec les condottieri du roi), perdit lui-même, en moins de rien, tout ce qu'il avait gagné, et, de plus, tout son patrimoine, sauf un petit manoir, où il alla cacher sa misère derrière les collines de Cava.

Trois ans s'étaient écoulés depuis qu'il vivait dans la solitude, chassant le jour et faisant le soir sa partie d'hombre avec le métayer. Un jour qu'il venait de rentrer au logis après une chasse, la plus heureuse qu'il eût encore faite, Jésus-Christ, suivi des saints apôtres, vint frapper à sa porte et lui demanda l'hospitalité. Federigo, qui avait

1. Ce conte est populaire dans le royaume de Naples. On y remarque, ainsi que dans beaucoup d'autres nouvelles originaires de la même contrée, un mélange bizarre de la mythologie grecque avec les croyances du christianisme ; il paraît avoir été composé vers la fin du Moyen Age.

l'âme généreuse, fut charmé de voir arriver des convives, en un jour où il avait amplement de quoi les régaler. Il fit donc entrer les pèlerins dans sa case, leur offrit de la meilleure grâce du monde la table et le couvert, et les pria de l'excuser s'il ne les traitait pas selon leur mérite, se trouvant pris au dépourvu. Notre-Seigneur, qui savait à quoi s'en tenir sur l'opportunité de sa visite, pardonna à Federigo ce petit trait de vanité en faveur de ses dispositions hospitalières.

– Nous nous contenterons de ce que vous avez, lui dit-il ; mais faites apprêter votre souper le plus promptement possible, vu qu'il est tard, et que celui-ci a grand-faim, ajouta-t-il en montrant saint Pierre.

Federigo ne se le fit pas répéter, et voulant offrir à ses hôtes quelque chose de plus que le produit de sa chasse, il ordonna au métayer de faire main basse sur son dernier chevreau, qui fut incontinent mis à la broche.

Lorsque le souper fut prêt et la compagnie à table, Federigo n'avait qu'un regret, c'est que son vin ne fût pas meilleur.

– Sire, dit-il à Jésus-Christ,

> Sire, je voudrais bien que mon vin fût meilleur :
> Néanmoins, tel qu'il est, je l'offre de grand cœur.

Sur quoi, Notre-Seigneur ayant goûté le vin :

– De quoi vous plaignez-vous ? dit-il à Federigo ; votre vin est parfait ; je m'en rapporte à cet homme (désignant du doigt l'apôtre saint Pierre).

Saint Pierre l'ayant savouré, le déclara excellent *(proprio stupendo)*, et pria son hôte de boire avec lui.

Federigo, qui prenait tout cela pour de la politesse, fit néanmoins raison à l'apôtre ; mais quelle fut sa surprise en trouvant ce vin plus délicieux qu'aucun de ceux qu'il eût jamais goûtés au temps de sa plus grande fortune ! Reconnaissant à ce miracle la présence du Sauveur, il se leva aussitôt comme indigne de manger en si sainte compagnie ; mais Notre-Seigneur lui ordonna de se rasseoir : ce qu'il fit sans trop de façons. Après le souper, durant lequel ils furent servis par le métayer et sa femme, Jésus-Christ se retira avec les apôtres dans l'appartement qui leur avait été préparé. Pour Federigo, demeuré seul avec le métayer, il fit sa partie d'hombre comme à l'ordinaire, en buvant ce qui restait du vin miraculeux.

Le jour suivant, les saints voyageurs étant réunis dans la salle basse avec le maître du logis, Jésus-Christ dit à Federigo :

– Nous sommes très contents de l'accueil que tu nous as fait, et voulons t'en récompenser. Demande-nous trois grâces à ton choix, et elles te seront accordées ; car toute puissance nous a été donnée au ciel, sur la terre et dans les enfers.

Lors, Federigo tirant de sa poche le jeu de cartes qu'il portait toujours sur lui :

– Maître, dit-il, faites que je gagne infailliblement toutes les fois que je jouerai avec ces cartes.

– Ainsi soit-il ! dit Jésus-Christ. *(Ti sia concesso.)*

Mais saint Pierre, qui était auprès de Federigo, lui disait à voix basse :

– A quoi penses-tu, malheureux pécheur ? tu devrais demander au maître le salut de ton âme.

– Je m'en inquiète peu, répondit Federigo.

– Tu as encore deux grâces à obtenir, dit Jésus-Christ.

– Maître, poursuivit l'hôte, puisque vous avez tant de bonté, faites, s'il vous plaît, que quiconque montera dans l'oranger qui ombrage ma porte, n'en puisse descendre sans ma permission.

– Ainsi soit-il ! dit Jésus-Christ.

A ces mots, l'apôtre saint Pierre, donnant un grand coup de coude à son voisin :

– Malheureux pécheur, lui dit-il, ne crains-tu pas l'enfer

réservé à tes méfaits ? demande donc au maître une place dans son saint paradis ; il en est encore temps...

– Rien ne presse, repartit Federigo en s'éloignant de l'apôtre ; et Notre-Seigneur ayant dit :

– Que souhaites-tu pour troisième grâce ?

– Je souhaite, répondit-il, que quiconque s'assiéra sur cet escabeau, au coin de ma cheminée, ne puisse s'en relever qu'avec mon congé.

Notre-Seigneur, ayant exaucé ce vœu comme les deux premiers, partit avec ses disciples.

Le dernier apôtre ne fut pas plus tôt hors du logis, que Federigo, voulant éprouver la vertu de ses cartes, appela son métayer, et fit une partie d'hombre avec lui sans regarder son jeu. Il la gagna d'emblée, ainsi qu'une seconde et une troisième. Sûr alors de son fait, il partit pour la ville, et descendit dans la meilleure hôtellerie, dont il loua le plus bel appartement. Le bruit de son arrivée s'étant aussitôt répandu, ses anciens compagnons de débauche vinrent en foule lui rendre visite.

– Nous te croyions perdu pour jamais, s'écria don Giuseppe ; on assurait que tu t'étais fait ermite,

– Et l'on avait raison, répondit Federigo.

– A quoi diable as-tu passé ton temps depuis trois ans qu'on ne te voit plus ? demandèrent à la fois tous les autres.

– En prières, mes très chers frères, repartit Federigo d'un ton dévot ; et voici mes *Heures*, ajouta-t-il en tirant de sa poche le paquet de cartes qu'il avait précieusement conservé.

Cette réponse excita un rire général, et chacun demeura convaincu que Federigo avait réparé sa fortune en pays étranger aux dépens de joueurs moins habiles que ceux avec lesquels il se retrouvait alors, et qui brûlaient de le ruiner pour la seconde fois. Quelques-uns voulaient, sans plus attendre, l'entraîner à une table de jeu. Mais Federigo, les ayant priés de remettre la partie au soir, fit passer la compagnie dans une salle où l'on avait servi, par son ordre, un repas délicat, qui fut parfaitement accueilli.

Ce dîner fut plus gai que le souper des apôtres : il est vrai qu'on n'y but que du malvoisie et du lacryma ; mais les convives, excepté un, ne connaissaient pas de meilleur vin.

Avant l'arrivée de ses hôtes, Federigo s'était muni d'un jeu de cartes parfaitement semblable au premier, afin de pouvoir, au besoin, le substituer à l'autre, et, en perdant une partie sur trois ou quatre, écarter tout soupçon de l'esprit de ses adversaires. Il avait mis l'un à sa droite et l'autre à sa gauche.

Lorsqu'on eut dîné, la noble bande étant assise autour d'un tapis vert, Federigo mit d'abord sur table les cartes profanes, et fixa les enjeux à une somme raisonnable pour toute la durée de la séance. Voulant alors se donner l'intérêt du jeu, et connaître la mesure de sa force, il joua de son mieux les deux premières parties, et les perdit l'une et l'autre, non sans un dépit secret. Il fit ensuite apporter du vin, et profita du moment où les gagnants buvaient à leurs succès passés et futurs, pour reprendre d'une main les cartes profanes et les remplacer de l'autre par les bénites.

Quand la troisième partie fut commencée, Federigo ne donnant plus aucune attention à son jeu, eut le loisir d'observer celui des autres, et le trouva déloyal. Cette découverte lui fit grand plaisir. Il pouvait dès lors vider en conscience les bourses de ses adversaires. Sa ruine avait été l'ouvrage de leur fraude, non de leur bien-jouer ou de leur fortune. Il pouvait donc concevoir une meilleure opinion de sa force relative, opinion justifiée par des succès antérieurs. L'estime de soi (car à quoi ne s'accroche-t-elle pas ?), la certitude de la vengeance et celle du gain, sont trois sentiments bien doux au cœur de l'homme.

Federigo les éprouva tous à la fois ; mais, songeant à sa fortune passée, il se rappela les douze fils de famille aux dépens desquels il s'était enrichi ; et, persuadé que ces jeunes gens étaient les seuls honnêtes joueurs auxquels il eût jamais eu affaire, il se repentit pour la première fois des victoires remportées sur eux. Un nuage sombre succéda sur son visage aux rayons de la joie qui perçait, et il poussa un profond soupir en gagnant la troisième partie.

Elle fut suivie de plusieurs autres, dont Federigo s'arrangea pour gagner le plus grand nombre, en sorte qu'il recueillit dans cette première soirée de quoi payer son dîner et un mois du loyer de son appartement. C'était tout ce qu'il voulait pour ce jour-là. Ses compagnons désappointés promirent, en le quittant, de revenir le lendemain.

Le lendemain et les jours suivants, Federigo sut gagner et perdre si à propos, qu'il acquit en peu de temps une fortune considérable, sans que personne en soupçonnât la véritable cause. Alors il quitta son hôtel pour aller habiter un grand palais où il donnait de temps à autre des fêtes magnifiques. Les plus belles femmes se disputaient un de ses regards ; les vins les plus exquis couvraient tous les jours sa table, et le palais de Federigo était réputé le centre des plaisirs.

Au bout d'un an de jeu discret, il résolut de rendre sa vengeance complète, en mettant à sec les principaux seigneurs du pays. A cet effet, ayant converti en pierreries la plus grande partie de son or, il les invita huit jours d'avance à une fête extraordinaire pour laquelle il mit en réquisition les meilleurs musiciens, baladins, etc., et qui devait se terminer par un jeu des mieux nourris. Ceux qui manquaient d'argent en extorquèrent aux juifs ; les autres apportèrent ce qu'ils avaient et tout fut raflé. Federigo partit dans la nuit avec son or et ses diamants.

De ce moment, il se fit une règle de ne jouer à coup sûr qu'avec les joueurs de mauvaise foi, se trouvant assez fort pour se tirer d'affaire avec les autres. Il parcourut ainsi toutes les villes de la terre, jouant partout, gagnant toujours, et consommant en chaque lieu ce que le pays produisait de plus excellent.

Cependant le souvenir de ses douze victimes se présentait sans cesse à son esprit et empoisonnait toutes ses joies. Enfin, il résolut un beau jour de les délivrer ou de se perdre avec elles.

Cette résolution prise, il partit pour les enfers un bâton à la main et un sac sur le dos, sans autre escorte que sa levrette favorite, qui s'appelait Marchesella. Arrivé en Sicile, il gravit le mont Gibel, et descendit ensuite dans le volcan, autant au-dessous du pied de la montagne que la montagne elle-même s'élève au-dessus de Piamonte. De là, pour aller chez Pluton, il faut traverser une cour gardée par Cerbère. Federigo la franchit sans difficulté, pendant que Cerbère faisait fête à sa levrette, et vint frapper à la porte de Pluton.

Lorsqu'on l'eut conduit en sa présence :

– Qui es-tu ? lui demanda le roi de l'abîme.

– Je suis le joueur Federigo.

– Que diable viens-tu faire ici ?

– Pluton, répondit Federigo, si tu estimes que le premier joueur de la terre soit digne de faire ta partie d'hombre, voici ce que je te propose : nous jouerons autant de parties que tu voudras ; que j'en perde une seule, et mon âme te sera légitimement acquise, avec toutes celles qui peuplent tes Etats ; mais, si je gagne, j'aurai le droit d'en choisir une parmi tes sujettes, pour chaque partie que j'aurai gagnée, et de l'emporter avec moi.

– Soit, dit Pluton.

Et il demanda un paquet de cartes.

– En voici un, dit aussitôt Federigo en tirant de sa poche le jeu miraculeux.

Et ils commencèrent à jouer.

Federigo gagna une première partie, et demanda à Pluton l'âme de Stefano Pagani, l'un des douze qu'il voulait sauver. Elle lui fut aussitôt livrée ; et, l'ayant reçue, il la mit dans son sac. Il gagna de même une seconde partie, puis une troisième, et jusqu'à douze, se faisant livrer chaque fois, et mettant dans son sac une des âmes auxquelles il s'intéressait. Lorsqu'il eut complété la douzaine, il offrit à Pluton de continuer.

– Volontiers, dit Pluton (qui pourtant s'ennuyait de perdre) ; mais sortons un instant ; je ne sais quelle odeur fétide vient de se répandre ici.

Or, il cherchait un prétexte pour se débarrasser de Federigo ; car à peine celui-ci était-il dehors avec son sac et ses âmes, que Pluton cria de toute sa force qu'on fermât la porte sur lui.

Federigo, ayant de nouveau traversé la cour des enfers, sans que Cerbère y prît garde, tant il était charmé de sa levrette, regagna péniblement la cime du mont Gibel. Il appela ensuite Marchesella, qui ne tarda pas à le rejoindre, et redescendit vers Messine, plus joyeux de sa conquête spirituelle qu'il ne l'avait jamais été d'aucun succès mondain. Arrivé à Messine, il s'y embarqua pour retourner en terre ferme et terminer sa carrière dans son antique manoir.

....

(A quelques mois de là, Marchesella mit bas une portée de petits monstres, dont quelques-uns avaient jusqu'à trois têtes. On les jeta tous à l'eau.)

....

Au bout de trente ans (Federigo en avait alors soixante-dix), la Mort entra chez lui, et l'avertit de mettre sa conscience en règle, parce que son heure était venue.

– Je suis prêt, dit le moribond ; mais, avant de m'enlever, ô Mort, donne-moi, je te prie, un fruit de l'arbre qui ombrage ma porte. Encore ce petit plaisir, et je mourrai content.

– S'il ne te faut que cela, dit la Mort, je veux bien te satisfaire.

Et elle monta dans l'oranger pour cueillir une orange. Mais, lorsqu'elle voulut descendre, elle ne le put pas : Federigo s'y opposait.

– Ah ! Federigo, tu m'as trompée, s'écria-t-elle ; je suis maintenant en ta puissance ; mais rends-moi la liberté, et je te promets dix ans de vie.

– Dix ans ! voilà grand-chose ! dit Federigo. Si tu veux descendre, ma mie, il faut être plus libérale.

– Je t'en donnerai vingt.

– Tu te moques !

– Je t'en donnerai trente.

– Tu n'es pas tout à fait au tiers.

– Tu veux donc vivre un siècle ?

– Tout autant, ma chère.

– Federigo, tu n'es pas raisonnable.

– Que veux-tu ! j'aime à vivre.

– Allons, va pour cent ans, dit la Mort, il faut bien en passer par là.

Et elle put aussitôt descendre.

Dès qu'elle fut partie, Federigo se leva dans un état de santé parfaite, et commença une nouvelle vie avec la force d'un jeune homme et l'expérience d'un vieillard. Tout ce que l'on sait de cette nouvelle existence est qu'il continua à satisfaire curieusement toutes ses passions, et particulièrement ses appétits charnels, faisant un peu de bien quand l'occasion s'en présentait, mais sans plus songer à son salut que pendant sa première vie.

Les cent ans révolus, la Mort vint de nouveau frapper à sa porte, et le trouva dans son lit.

– Es-tu prêt ? lui dit-elle.

– J'ai envoyé chercher mon confesseur, répondit Federigo ; assieds-toi près du feu jusqu'à ce qu'il vienne. Je n'attends que l'absolution pour m'élancer avec toi dans l'éternité.

La Mort, qui était bonne personne, alla s'asseoir sur l'escabeau, et attendit une heure entière sans voir arriver le prêtre. Commençant alors à s'ennuyer, elle dit à son hôte :

– Vieillard, pour la seconde fois, n'as-tu pas eu le temps de te mettre en règle, depuis un siècle que nous ne nous sommes vus ?

– J'avais, par ma foi, bien autre chose à faire, dit le vieillard avec un sourire moqueur.

– Eh bien, reprit la Mort indignée de son impiété, tu n'as plus une minute à vivre.

– Bah ! dit Federigo, tandis qu'elle cherchait en vain à se lever, je sais par expérience que tu es trop accommodante pour ne pas m'accorder encore quelques années de répit.

– Quelques années ! misérable ! (Et elle faisait d'inutiles efforts pour sortir de la cheminée.)

– Oui, sans doute ; mais, cette fois-ci, je ne serai point exigeant, et, comme je ne tiens plus à la vieillesse, je me contenterai de quarante ans pour ma troisième course.

La Mort vit bien qu'elle était retenue sur l'escabeau, comme autrefois sur l'oranger, par une puissance surnaturelle ; mais, dans sa fureur, elle ne voulait rien accorder.

– Je sais un moyen de te rendre raisonnable, dit Federigo.

Et il fit jeter trois fagots sur le feu. La flamme eut, en un moment, rempli la cheminée, en sorte que la Mort était au supplice.

– Grâce ! grâce ! s'écria-t-elle en sentant brûler ses vieux os ; je te promets quarante ans de santé.

A ces mots, Federigo dénoua le charme, et la Mort s'enfuit, à demi rôtie.

Au bout du terme, elle revint chercher son homme, qui l'attendait de pied ferme, un sac sur le dos.

– Pour le coup, ton heure est venue, lui dit-elle en entrant brusquement ; il n'y a plus à reculer. Mais que veux-tu faire de ce sac ?

– Il contient les âmes de douze joueurs de mes amis, que j'ai autrefois délivrés de l'enfer.

– Qu'ils y rentrent avec toi ! dit la Mort.

Et, saisissant Federigo par les cheveux, elle s'élança dans les airs, vola vers le Midi, et s'enfonça avec sa proie dans les gouffres du mont Gibel. Arrivée aux portes de l'enfer, elle frappa trois coups.

– Qui est là ? dit Pluton.

– Federigo le joueur, répondit la Mort.

– N'ouvrez pas, s'écria Pluton, qui se rappela aussitôt les douze parties qu'il avait perdues ; ce coquin-là dépeuplerait mon empire.

Pluton refusant d'ouvrir, la Mort transporta son prisonnier aux portes du purgatoire ; mais l'ange de garde lui en interdit l'entrée, ayant reconnu qu'il se trouvait en état de péché mortel. Il fallut donc à toute force, et au grand regret de la Mort, qui en voulait à Federigo diriger le convoi vers les régions célestes.

– Qui es-tu ? dit saint Pierre à Federigo, quand la Mort l'eut déposé à l'entrée du paradis.

– Votre ancien hôte, répondit-il, celui qui vous régala jadis du produit de sa chasse.

– Oses-tu bien te présenter ici dans l'état où je te vois ? s'écria saint Pierre. Ne sais-tu pas que le ciel est fermé à tes pareils ? Quoi ! tu n'es pas même digne du purgatoire, et tu veux une place dans le paradis !

– Saint Pierre, dit Federigo, est-ce ainsi que je vous reçus quand vous vîntes avec votre divin maître, il y a environ cent quatre-vingts ans, me demander l'hospitalité ?

– Tout cela est bel et bon, repartit saint Pierre d'un ton grondeur, quoique attendri ; mais je ne puis prendre sur moi de te laisser entrer. Je vais informer Jésus-Christ de ton arrivée ; nous verrons ce qu'il dira.

Notre-Seigneur, étant averti, vint à la porte du paradis, où il trouva Federigo à genoux sur le seuil, avec ses douze âmes, six de chaque côté. Lors, se laissant toucher de compassion :

– Passe encore pour toi, dit-il à Federigo ; mais ces douze âmes que l'enfer réclame, je ne saurais en conscience les laisser entrer.

– Eh quoi ! Seigneur, dit Federigo, lorsque j'eus l'honneur de vous recevoir dans ma maison, n'étiez-vous pas accompagné de douze voyageurs que j'accueillis, ainsi que vous, du mieux qu'il me fut possible ?

– Il n'y a pas moyen de résister à cet homme, dit Jésus-Christ. Entrez donc, puisque vous voilà ; mais ne vous vantez pas de la grâce que je vous fais ; elle serait de mauvais exemple.

1829

LITTÉRATURE (extraits du catalogue)

Anonyme
Les Mille et Une Nuits :
Sindbad le marin - n° 147
Aladdin ou la Lampe merveilleuse - n° 191
Ali Baba et les quarante voleurs *suivi de* Histoire du cheval enchanté - n° 298
Isaac Asimov
La pierre parlante *et autres nouvelles* - n° 129
René Barjavel
Béni soit l'atome *et autres nouvelles* - n° 261
James M. Barrie
Peter Pan - n° 591
Frank L. Baum
Le magicien d'Oz - n° 592
Pierre Bordage
Les derniers hommes :
1. Le peuple de l'eau - n° 332
2. Le cinquième ange - n° 333
3. Les légions de l'Apocalypse - n° 334
4. Les chemins du secret - n° 335
5. Les douze tribus - n° 336
6. Le dernier jugement - n° 337
Nuits-lumière - n° 564
Ray Bradbury
Celui qui attend *et autres nouvelles* - n° 59
Lewis Carroll
Les aventures d'Alice au pays des merveilles - n° 389
Alice à travers le miroir - n° 507
Jacques Cazotte
Le diable amoureux - n° 20
Adelbert de Chamisso
L'étrange histoire de Peter Schlemihl - n° 615
Arthur C. Clarke
Les neuf milliards de noms de Dieu *et autres nouvelles* - n° 145
Maurice G. Dantec
Dieu porte-t-il des lunettes noires? *et autres nouvelles* - n° 613
Philip K. Dick
Les braconniers du cosmos *et autres nouvelles* - n° 92
Théophile Gautier
Le roman de la momie - n° 81
La morte amoureuse *suivi de* Une nuit de Cléopâtre - n° 263
Goethe
Faust - n° 82
Henry James
Le tour d'écrou - n° 200
Stephen King
Le singe *suivi de* Le chenal - n° 4
La ballade de la balle élastique *suivi de* L'homme qui refusait de serrer la main - n° 46
La ligne verte :
1. Deux petites filles mortes - n° 100
2. Mister Jingles - n° 101
3. Les mains de Caffey - n° 102
4. La mort affreuse d'Édouard Delacroix - n° 103
5. L'équipée nocturne - n° 104
6. Caffey sur la ligne - n° 105
Danse macabre :
Celui qui garde le ver *et autres nouvelles* - n° 193
Cours, Jimmy, cours *et autres nouvelles* - n° 214
L'homme qu'il vous faut *et autres nouvelles*- n° 233
Les enfants du maïs *et autres nouvelles* - n° 249
Howard P. Lovecraft
Les autres dieux *et autres nouvelles* - n° 68
Richard Matheson
La maison enragée *et autres nouvelles fantastiques* - n° 355
Guy de Maupassant
Le Horla - n° 1
Prosper Mérimée
La Vénus d'Ille *et autres nouvelles* - n° 236
Françoise Morvan
Lutins et lutines - n° 528
Gérard de Nerval
Aurélia *suivi de* Pandora - n° 23
Sylvie *suivi de* Les chimères *et de* Odelettes - n° 436
Edgar Allan Poe
Double assassinat dans la rue Morgue *suivi de* Le mystère de Marie Roget - n° 26
Le scarabée d'or *suivi de* La lettre volée - n° 93

Le chat noir *et autres nouvelles* - n° 213
La chute de la maison Usher *et autres nouvelles* - n° 293
Ligeia *suivi de* Aventure sans pareille d'un certain Hans Pfaall - n° 490
Terry Pratchett
Le peuple du Tapis - n° 268
Robert Louis Stevenson
L'étrange cas du Dr Jekyll et de Mr Hyde - n° 113
Jonathan Swift
Le voyage à Lilliput - n° 378
Jules Verne
Le château des Carpathes - n° 171
Une ville flottante - n° 346
Les Indes noires - n° 227
Oscar Wilde
Le fantôme de Canterville *suivi de* Le prince heureux, Le géant égoïste *et autres nouvelles* - n° 600

ANTHOLOGIES

Présentée par Xavier Legrand-Ferronnière
Contes fantastiques de Noël - n° 197

Présentées par Barbara Sadoul
La dimension fantastique – 1
13 nouvelles fantastiques de Hoffmann à Seignolle - n° 150
La dimension fantastique – 2
6 nouvelles fantastiques de Balzac à Sturgeon - n° 234
La dimension fantastique – 3
10 nouvelles fantastiques de Flaubert à Jodorowsky - n° 271
Les cent ans de Dracula
8 histoires de vampires de Goethe à Lovecraft - n° 160
Un bouquet de fantômes - n° 362
Gare au garou!
8 histoires de loups-garous - n° 372
Fées, sorcières et diablesses
13 textes de Homère à Andersen - n° 544
La solitude du vampire - n° 611

Présentées par Jacques Sadoul
Une histoire de la science-fiction :
1901-1937 : Les premiers maîtres - n° 345
1938-1957 : L'âge d'or - n° 368
1958-1981 : L'expansion - n° 404
1982-2000 : Le renouveau - n° 437

236

Achevé d'imprimer par GGP en Allemagne (Pössneck)
en décembre 2004 pour le compte de E.J.L.
84, rue de Grenelle 75007 Paris
Dépôt légal décembre 2004
1er dépôt légal dans la collection : juillet 1998

Diffusion France et étranger : Flammarion